U0136794

中國美術全集

畫像石畫像磚三

全國百佳圖书出版單位

時代出版傳媒股份有限公司
黃山書社

目　　錄

北齊北周隋（公元五五〇年至公元六一八年）

唐五代十國（公元六一八年至公元九六〇年）

北宋至明（公元九六〇年至公元一六四四年）

頁碼	名稱	時代	發現地	收藏地
547	昭陵六駿之颯露紫畫像石	北宋		陝西省昭陵博物館
547	人物畫像	北宋	河南鞏義市宋陵趙珝墓	河南博物院
548	朱雀畫像	北宋	河南鞏義市宋陵趙珝墓	河南博物院
549	出殯畫像石	北宋	河南滎陽市槐西村	河南博物院
550	二十四孝畫像石	北宋	河南孟津縣張盤村張君墓	河南省洛陽古代藝術館
552	童男童女畫像石	北宋	河南鞏義市宋陵	
552	仕女畫像石	北宋	河南禹州市白沙水庫庫區	河南博物院
553	供案畫像石	北宋	河南禹州市白沙水庫庫區	河南博物院
554	曾參孝行畫像石	北宋	河南鞏義市米河半個店	
554	趙孝宗孝行畫像石	北宋	河南鞏義市米河半個店	
555	姜詩妻孝行畫像石	北宋	河南鞏義市米河半個店	
555	韓伯瑜孝行畫像石	北宋	河南鞏義市米河半個店	
556	雙鳳畫像石	金	北京房山區周口店鎮金太祖陵	首都博物館
558	雙鳳畫像石	金	北京房山區周口店鎮金太祖陵	首都博物館
560	龍畫像石	金	北京房山區周口店鎮金太祖陵	首都博物館
562	元覺孝行畫像石	金	河南修武縣城西史平陵村	河南省洛陽古墓博物館
562	雜劇畫像石	金	河南修武縣城西史平陵村	河南省修武縣文化館
563	貴婦梳妝畫像石	金	河南修武縣城西史平陵村	河南省洛陽古墓博物館
564	梳妝溫酒畫像石	金	河南焦作市郊王莊鄒瓊墓	河南省洛陽古墓博物館
564	孟宗 王祥孝行畫像石	金	河南焦作市郊王莊鄒瓊墓	河南省洛陽古墓博物館
565	執壺侍女畫像石	南宋	四川瀘縣石橋鎮新屋嘴村石室墓	四川省文物考古研究所
565	騎虎男子畫像石	南宋	四川瀘縣石橋鎮新屋嘴村石室墓	四川省文物考古研究所
566	男女伎樂畫像石	南宋	四川瀘縣石橋鎮新屋嘴村石室墓	四川省文物考古研究所
566	樂舞人物畫像石	南宋	四川瀘縣石橋鎮新屋嘴村石室墓	四川省文物考古研究所
567	女舞者畫像石	南宋	四川瀘縣石橋鎮新屋嘴村石室墓	四川省文物考古研究所
567	鎮墓神將畫像石	南宋	四川瀘縣牛灘鎮灘上村石室墓	四川省文物考古研究所
568	執團扇侍女畫像石	南宋	四川瀘縣牛灘鎮灘上村石室墓	四川省文物考古研究所
568	婦人啓門畫像石	南宋	四川瀘縣福集鎮龍興村石室墓	四川省文物考古研究所
569	戲曲孝行故事畫像石	明	河南原陽縣夾灘舊村馮氏墓	河南省原陽縣文物管理所

畫　像　磚

秦西漢新（公元前二二一年至公元二五年）

東漢（公元二五年至公元二二〇年）

頁碼	名稱	時代	發現地	收藏地
640	軺車驂駕畫像磚	東漢	四川成都市	四川博物院
641	軒車畫像磚	東漢	四川成都市新都區馬家鎮	四川博物院
642	駱駝畫像磚	東漢	四川成都市新都區馬家鎮	四川博物院
643	釀酒畫像磚	東漢	四川成都市新都區馬家鎮	四川博物院
643	撈鼎畫像磚	東漢	四川成都市新都區利濟鎮	四川省成都市新都區文物管理所
644	桑園畫像磚	東漢	四川成都市新都區	四川博物院
644	月神畫像磚	東漢	四川成都市新都區	四川省成都市新都區文物管理所
645	薅秧 收割畫像磚	東漢	四川成都市新都區	四川博物院
645	男女和合雙修畫像磚	東漢	四川成都市新都區	四川博物院
646	車馬過橋畫像磚	東漢	四川成都市新都區	四川省成都市新都區文物管理所
646	市集畫像磚	東漢	四川成都市新都區	四川省成都市新都區文物管理所
647	舞樂畫像磚	東漢	四川成都市新都區	四川省成都市新都區文物管理所
647	伍伯迎謁畫像磚	東漢	四川郫縣	四川博物院
648	四騎吏畫像磚	東漢	四川大邑縣安仁鎮	四川博物院
649	軺馬出行	東漢	四川大邑縣安仁鎮	四川博物院
650	宴飲畫像磚	東漢	四川大邑縣安仁鎮	四川博物院
651	鳳闕畫像磚	東漢	四川大邑縣安仁鎮	四川博物院
652	鹽井畫像磚	東漢	四川邛崍市	四川博物院
652	日神畫像磚	東漢	四川邛崍市花牌坊	四川博物院
653	庖廚畫像磚	東漢	四川彭州市三界鎮	四川博物院
653	荷塘 漁獵畫像磚	東漢	四川彭州市三界鎮	四川博物院
654	伍伯畫像磚	東漢	四川彭州市三界鎮	四川博物院
654	月神畫像磚	東漢	四川彭州市三界鎮	四川博物院
655	四維軺車畫像磚	東漢	四川彭州市三界鎮	四川博物院
655	庖廚畫像磚	東漢	四川彭州市九尺鎮	四川博物院
656	騎鹿升仙畫像磚	東漢	四川彭州市九尺鎮	四川博物院
657	養老畫像磚	東漢	四川彭州市太平鄉	四川博物院
657	盤舞雜技畫像磚	東漢	四川彭州市太平鄉	四川博物院
658	建鼓畫像磚	東漢	四川彭州市太平鄉	四川博物院
658	日神畫像磚	東漢	四川彭州市太平鄉	四川博物院
659	斧車畫像磚	東漢	四川彭州市太平鄉	四川博物院
660	酒肆畫像磚	東漢	四川彭州市升平鎮	四川博物院
660	戲鹿畫像磚	東漢	四川彭州市義和鄉	四川省成都市新都區文物管理所
661	伏羲 女媧 雙龍畫像磚	東漢	四川彭州市碱廠崖墓	四川博物院

頁碼	名稱	時代	發現地	收藏地
661	舂米畫像磚	東漢	四川彭州市	中國國家博物館
662	西王母及導車畫像磚	東漢	四川彭州市	四川博物院
662	二騎吏畫像磚	東漢	四川彭州市	四川博物院
663	拜謁畫像磚	東漢	四川廣漢市磚廠	四川博物院
663	市井畫像磚	東漢	四川廣漢市周村	四川博物院
664	二武士畫像磚	東漢	四川廣漢市新平鎮	四川博物院
664	習射畫像磚	東漢	四川德陽市柏隆鎮	四川博物院
665	四騎吏畫像磚	東漢	四川德陽市柏隆鎮	四川博物院
665	播種畫像磚	東漢	四川德陽市柏隆鎮	四川博物院
666	恩愛畫像磚	東漢	四川德陽市	四川博物院
666	男女雙修畫像磚	東漢	四川德陽市	重慶市博物館
667	日神月神畫像磚	東漢	四川崇州市	四川博物院
667	奔馬畫像磚	東漢	安徽亳州市董園村1號墓	安徽省亳州市博物館
668	仙人畫像磚	東漢	青海平安縣漢墓	青海省文物考古研究所
668	人物畫像磚	東漢	青海平安縣漢墓	青海省文物考古研究所
669	力士畫像磚	東漢	青海平安縣漢墓	青海省文物考古研究所
669	騎馬武士畫像磚	東漢	青海平安縣漢墓	青海省文物考古研究所
670	騎馬武士畫像磚	東漢	青海平安縣漢墓	青海省文物考古研究所
670	雙雀畫像磚	東漢	青海平安縣漢墓	青海省文物考古研究所

三國兩晉南北朝（公元二二〇年至公元五八九年）

頁碼	名稱	時代	發現地	收藏地
671	西王母畫像磚	三國・蜀	四川大邑縣	四川省大邑縣文物保護管理所
671	天倉畫像磚	三國・蜀	四川大邑縣	四川省大邑縣文物保護管理所
672	出行 白虎畫像磚	三國・蜀	四川大邑縣	四川省大邑縣文物保護管理所
672	六博 百戲畫像磚	三國・蜀	四川大邑縣	四川省大邑縣文物保護管理所
673	青龍畫像磚	魏晉	山東臨沂市金雀山	山東省臨沂市博物館
673	白虎畫像磚	魏晉	山東臨沂市金雀山	山東省臨沂市博物館
674	玄武畫像磚	魏晉	山東臨沂市金雀山	山東省臨沂市博物館
674	朱雀畫像磚	魏晉	山東臨沂市金雀山	山東省臨沂市博物館
675	獅子畫像磚	魏晉	山東臨沂市金雀山	山東省臨沂市博物館

頁碼	名稱	時代	發現地	收藏地
675	花草畫像磚	魏晋	山東臨沂市金雀山	山東省臨沂市博物館
676	人面紋畫像磚	西晋	江蘇南京市蛇山西晋墓	江蘇省南京市博物館
676	怪獸畫像磚	東晋	江蘇鎮江市農牧場	江蘇省鎮江博物館
677	玄武畫像磚	東晋	江蘇鎮江市農牧場	江蘇省鎮江博物館
677	白虎畫像磚	東晋	江蘇鎮江市農牧場	江蘇省鎮江博物館
678	人首鳥身畫像磚	東晋	江蘇鎮江市農牧場	江蘇省鎮江博物館
678	獸首人身怪獸畫像磚	東晋	江蘇鎮江市農牧場	江蘇省鎮江博物館
679	獸首噬蛇怪獸畫像磚	東晋	江蘇鎮江市農牧場	江蘇省鎮江博物館
679	"虎嘯山丘"畫像磚	東晋	江蘇南京市萬壽村東晋墓	江蘇省南京市博物館
680	竹林七賢與榮啓期畫像磚	南朝	江蘇南京市西善橋南朝大墓	南京博物院
682	羽人引虎畫像磚	南朝	江蘇丹陽市胡橋仙塘灣齊景帝蕭道生修安陵	南京博物院
682	羽人戲龍畫像磚	南朝	江蘇丹陽市胡橋仙塘灣齊景帝蕭道生修安陵	南京博物院
683	武士畫像磚	南朝	江蘇丹陽市建山金王陳村南朝佚名墓	江蘇省南京市博物館
684	獅子畫像磚	南朝	江蘇丹陽市建山金王陳村南朝佚名墓	江蘇省南京市博物館
684	羽人戲虎畫像磚	南朝	江蘇丹陽市建山金王陳村南朝佚名墓	江蘇省南京市博物館
685	騎馬鼓吹畫像磚	南朝	江蘇丹陽市建山金王陳村南朝佚名墓	江蘇省南京市博物館
686	侍從畫像磚	南朝	江蘇丹陽市建山金王陳村南朝佚名墓	江蘇省南京市博物館
686	羽人戲虎畫像磚	南朝	江蘇丹陽市胡橋寶山吳家村南朝佚名陵	南京博物院
687	女侍 男侍畫像磚	南朝	江蘇南京市油坊橋墓	江蘇省南京市博物館
688	侍女畫像磚	南朝	江蘇南京市六合樊集南朝墓	江蘇省南京市博物館
688	蓮花紋磚	南朝	江蘇南京市萬壽村南朝墓	江蘇省南京市博物館
689	蓮花紋畫像磚	南朝	江蘇南京市五塘村幕府山南朝墓	江蘇省南京市博物館
689	蓮花朱雀與獸首鳥身怪獸畫像磚	南朝	江蘇南京市鐵心鎮王家窪村南朝墓	南京博物院
690	侍女畫像磚	南朝	江蘇常州市戚家村	江蘇省常州博物館
690	儀衛畫像磚	南朝	江蘇常州市戚家村	江蘇省常州博物館
691	白虎畫像磚	南朝	江蘇常州市戚家村	江蘇省常州博物館
691	準備出行畫像磚	南朝	湖北襄樊市襄陽城西賈家冲	湖北省襄樊市博物館
692	白虎畫像磚	南朝	湖北襄樊市襄陽城西賈家冲	湖北省襄樊市博物館
692	青龍畫像磚	南朝	湖北襄樊市襄陽城西賈家冲	湖北省襄樊市博物館
693	人首鳥身怪神畫像磚	南朝	湖北襄樊市襄陽城西賈家冲	湖北省襄樊市博物館
693	朱雀畫像磚	南朝	湖北襄樊市襄陽城西賈家冲	湖北省襄樊市博物館
694	怪獸畫像磚	南朝	湖北襄樊市襄陽城西賈家冲	湖北省襄樊市博物館
694	雙獅畫像磚	南朝	湖北襄樊市襄陽城西賈家冲	湖北省襄樊市博物館
695	飛仙畫像磚	南朝	湖北襄樊市襄陽城西賈家冲	湖北省襄樊市博物館

頁碼	名稱	時代	發現地	收藏地
695	飲酒畫像磚	南朝	湖北襄樊市襄陽城西賈家冲	湖北省襄樊市博物館
696	彩繪白虎畫像磚	南朝	河南鄧州市	中國國家博物館
696	彩繪青龍畫像磚	南朝	河南鄧州市	中國國家博物館
697	彩繪鳳凰畫像磚	南朝	河南鄧州市	中國國家博物館
697	彩繪玄武畫像磚	南朝	河南鄧州市	中國國家博物館
698	彩繪仕女畫像磚	南朝	河南鄧州市	河南博物院
698	彩繪牛車畫像磚	南朝	河南鄧州市	中國國家博物館
699	彩繪橫吹畫像磚	南朝	河南鄧州市	中國國家博物館
699	彩繪戰馬畫像磚	南朝	河南鄧州市	河南博物院
700	彩繪鞍馬畫像磚	南朝	河南鄧州市	中國國家博物館
700	彩繪南山四皓畫像磚	南朝	河南鄧州市	中國國家博物館
701	彩繪郭巨埋兒畫像磚	南朝	河南鄧州市	河南博物院
701	車馬出行畫像磚	南朝	陝西平利縣烏金鄉	陝西省安康歷史博物館

唐至金（公元六一八年至公元一二三四年）

頁碼	名稱	時代	發現地	收藏地
702	載物駱駝畫像磚	唐	甘肅敦煌市佛爺廟墓	敦煌研究院
702	吹簫畫像磚	唐	甘肅酒泉市西溝墓地	甘肅省文物考古研究所
703	騎馬武士畫像磚	唐	甘肅酒泉市西溝墓地	甘肅省文物考古研究所
703	武士畫像磚	唐	陝西長武縣地学分代家嶺村	陝西省長武縣博物館
704	人物畫像磚	唐	福建晉江市池店鎮赤塘村唐墓	福建博物院
705	彩繪舞蹈者畫像磚	五代十國·後周	陝西彬縣底店鄉前家嘴村馮暉墓	陝西省咸陽市文物考古研究所
706	彩繪彈箜篌者畫像磚	五代十國·後周	陝西彬縣底店鄉前家嘴村馮暉墓	陝西省咸陽市文物考古研究所
706	彩繪執拍板者畫像磚	五代十國·後周	陝西彬縣底店鄉前家嘴村馮暉墓	陝西省咸陽市文物考古研究所
707	彩繪擊鼓者畫像磚	五代十國·後周	陝西彬縣底店鄉前家嘴村馮暉墓	陝西省咸陽市文物考古研究所
707	彩繪吹橫笛者畫像磚	五代十國·後周	陝西彬縣底店鄉前家嘴村馮暉墓	陝西省咸陽市文物考古研究所
708	彩繪擊方響者畫像磚	五代十國·後周	陝西彬縣底店鄉前家嘴村馮暉墓	陝西省咸陽市文物考古研究所
708	彩繪彈琵琶者畫像磚	五代十國·後周	陝西彬縣底店鄉前家嘴村馮暉墓	陝西省咸陽市文物考古研究所
709	彩繪吹觱篥者畫像磚	五代十國·後周	陝西彬縣底店鄉前家嘴村馮暉墓	陝西省咸陽市文物考古研究所
709	彩繪吹排簫者畫像磚	五代十國·後周	陝西彬縣底店鄉前家嘴村馮暉墓	陝西省咸陽市文物考古研究所
710	婦女畫像磚	北宋	河南偃師市	中國國家博物館

主僕交談畫像石

北齊

山東青州市出土。

高135、寬95厘米。

左側主人身材高大，頭戴上翹折巾式冠，右手執花草。

身旁一僕人，對面一胡人雙手捧物與主僕交談。

現藏山東省青州博物館。

飲食畫像石

北齊

山東青州市出土。

高132、寬98厘米。

圖中一人踞坐，身前置一几，几旁置一杯。後面爲一胡
人踞坐于華蓋下，對面爲一匹高頭駿馬。

現藏山東省青州博物館。

商旅畫像石

北齊

山東青州市出土。

高135、寬98厘米。

一深目高鼻之胡人牽駱駝及馬行進，駱駝峰間載絲綢品及水囊。畫面上有二脖繫綬帶的鳥。

現藏山東省青州博物館。

行進畫像石

北齊

山東青州市出土。

高134、寬85厘米。

圖刻一大象，背馱一大型方座基，座下飾覆蓮。象前一着斜領窄袖長衫僕人引象前行。

現藏山東省青州博物館。

游獵 謁見 宴樂畫像石

北齊

河南安陽市出土。

高50、寬90厘米。

石棺床畫像。畫面中欄爲游獵場面，獵者馳于林間草叢；左欄爲謁見，屋宇連接，賓主晤談；右欄爲宴樂，臺下兩人奏琵琶，右者吹角。

現藏美國波士頓美術館。

出行 觀舞 女樂畫像石

北齊

河南安陽市出土。

高50、寬90厘米。

石棺床畫像。畫面中欄主人揚鞭策馬，軍士分列三隊，舉旗隨行；左欄觀舞場景中，胡、漢人物會聚于葡萄樹下，主人高舉角杯祝酒；右欄似爲一長者與衆女嬉戲玩耍。

現藏美國波士頓美術館。

節慶 宴樂畫像石

北齊
河南安陽市出土。
高50、寬90厘米。
石棺床畫像。畫面中欄中部墓
主人騎在馬上，上部有華蓋，
鳳鳥立于枝頭，口銜綬帶，下
部爲兩排歌舞人物；左欄爲聽
樂圖；右欄爲飲酒圖。
現藏法國巴黎吉美美術館。

[畫像石]

祭祀畫像石

北齊

高60、寬41.5厘米。

圍屏石榻畫像。畫面上部一位祭司身着長袍，長巾掩

口，正在向火壇內添加燃料，祭司身後四位助手或跪或立，手中各執燃料。祭司腳下有一小犬。畫面下部五人三馬，作準備出發狀。

現藏日本滋賀縣MIHO博物館。

飲酒畫像石

北齊
高61.5、寬34.6厘米。
圍屏石榻畫像。畫面上部
一男一女坐于榻上對飲，
可能爲墓主人和接引墓主
人升入天國的仙女。房屋
前衆人表演樂舞。
現藏日本滋賀縣MIHO博
物館。

牛車出行畫像石
北齊
高60.9、寬31厘米。
圍屏石榻畫像。牛車旁有
四名侍者，車旁有二人騎
馬相隨。
現藏日本滋賀縣MIHO博
物館。

北齊北周隋（公元五五〇年至公元六一八年）

出行　樂舞畫像石

北齊

高60.8、寬53.4厘米。

圍屏石榻畫像。左側畫面上部爲一女子和二侍女騎馬出行，下部爲一男子和二侍者騎馬出行，一侍者手持華蓋。右側畫面上部爲一位四臂神仙，上二手分別持日和月，下二手撫按獅頭；中部爲二伎樂天演奏樂器，伎樂天足踏蓮座；下部爲衆人樂舞。

現藏日本滋賀縣MIHO博物館。

北齊北周隋（公元五五〇年至公元六一八年）

浮雕石椁

北周

陝西西安市未央區大明宮鄉井上村史君墓出土。

高158、長246、寬155厘米。

石椁爲面闊五間、進深三間的歇山頂建築形式，石椁四周分別浮雕守護神，祆神及祭祀、升天、宴飲、出行和狩獵等題材的圖像。

現藏陝西省西安市文物保護考古所。

浮雕石榇北面

北齊北周隋（公元五五〇年至公元六一八年）

浮雕石榫西面

北齊北周隋（公元五五〇年至公元六一八年）

浮雕石椁東面

北齊北周隋（公元五五〇年至公元六一八年）

浮雕石椁南面力士

浮雕石椁南面祆神

祭祀畫像石

北周

陝西西安市未央區大明宮鄉炕底寨村安伽
墓出土。

高68、寬128厘米。

門額畫像。中間下部爲蓮花座，座上站立
三峰尾部相接的駱駝，駝峰仰覆蓮座上置
一大圓盤，盤上起火焰，此爲祆教的聖火
壇。聖壇上方左右各一身彈奏樂器的伎樂
天；下方左右各一身人首鷹身神，手持神
杖，神前有六足祭案，案上置器皿。門額
下部左右角上有跪坐男女胡人，前置小型
聖壇。

祭祀畫像石局部

北齊北周隋（公元五五〇年至公元六一八年）

祭祀畫像石局部

圍屏石榻

北周

陝西西安市未央區大明宮鄉炕底寨村安伽墓出土。

長228、寬103、高117厘米。

圍屏石榻由八塊青石構成，其中石屏三塊，榻板一塊，榻腿七塊。

現藏陝西省考古研究院。

出行畫像石

北周

陝西西安市未央區大明宮鄉炕底寨村安伽墓出土。

高68厘米。

圍屏石榻畫像。畫面上部爲牛車出行，下部爲騎馬出行。

現藏陝西省考古研究院。

狩獵畫像石

北周

陝西西安市未央區大明宮鄉炕底寨村安伽墓出土。

高68厘米。

圍屏石榻畫像。畫面上部爲兩人騎馬射獵羚羊，下部爲
兩人携犬追獵野豬。

現藏陝西省考古研究院。

野宴畫像石

北周

陝西西安市未央區大明宮鄉炕底寨村安伽墓出土。

高68厘米。

圍屏石榻畫像。畫面上部右側爲一圓頂帳篷，帳篷內坐三人，身前大盤內置食具，帳篷外立四侍者。畫面下部爲動物奔逃場面。

現藏陝西省考古研究院。

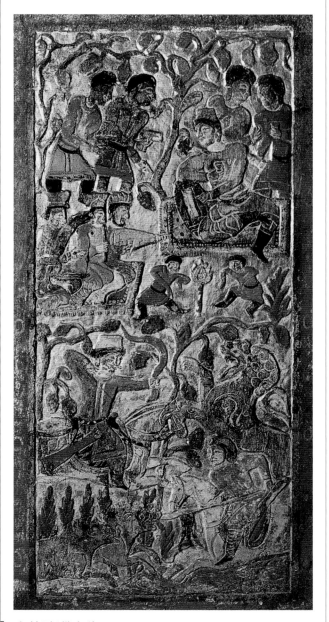

宴飲狩獵畫像石

北周

陝西西安市未央區大明宮鄉炕底寨村安伽墓出土。

高68厘米。

圍屏石榻畫像。畫面上部爲樂舞宴飲場面，下部爲狩獵場面。

現藏陝西省考古研究院。

會盟畫像石

北周

陝西西安市未央區大明宮鄉炕底寨村安伽墓出土。

高68厘米。

圍屏石榻畫像。畫面上部爲二騎者相會，右側戴虛帽着緊袖服騎者爲粟特人，左側留長髮着三角翻領服騎者爲突厥人。畫面下部爲一帳，帳頂有日月，帳內一粟特人和一突厥人隔几對坐，几後站立一人，手持高足燈。

現藏陝西省考古研究院。

宴飲畫像石

北周

陝西西安市未央區大明宮鄉炕底寨村安伽墓出土。

高68厘米。

圍屏石榻畫像。畫面上部爲一歇山頂屋宇，屋內一男一女坐于氈上執杯飲酒，屋外站立侍者。畫面下部爲池塘和拱橋。

現藏陝西省考古研究院。

狩獵畫像石

北周

陝西西安市未央區大明宮鄉炕底寨村安伽墓出土。

高68厘米。

圍屏石榻畫像。畫面上五人正在騎馬圍獵。

現藏陝西省考古研究院。

宴飲樂舞畫像石

北周

陝西西安市未央區大明宮鄉炕底寨村安伽墓出土。

高68厘米。

圍屏石榻畫像。畫面上部爲兩人在帳中對飲，下部爲樂舞場面。

現藏陝西省考古研究院。

男女墓主人畫像石

北周

陝西西安市未央區大明宮鄉炕底寨村康業墓出土。

高82、寬93.5厘米。

圍屏石榻側板畫像。左側畫面左部男主人坐于榻上，榻後立持傘蓋的侍者，榻前數位男子或持盤或拱手作拜謁狀。右側畫面左部女主人坐于榻上，榻旁站立侍女，榻前數位女子跪拜女主人。

現藏陝西省西安市文物保護考古所。

牛車　進食　備馬畫像石

北周

陝西西安市未央區大明宮鄉炕
底寨村康業墓出土。

高82厘米。

圍屏石榻正面畫像。左幅上部
爲山巒，下部爲一牛車，車旁
一臥牛正在休息，車右側有二
位胡人，左邊人物持壺獻酒，
右邊人物端坐。中幅上部屋內
一人端坐，作進食狀。屋外面
數位侍者持盤、持壺和持杯侍
奉。右幅上部右側爲一棵大
樹，樹下四人二馬，作準備出
行狀。

現藏陝西省西安市文物保護考
古所。

北齊北周隋（公元五五〇年至公元六一八年）

青龍畫像石

北周

陝西咸陽市出土。

石棺畫像。龍昂首疾走，一奔兔馳于雲上。

現藏陝西省西安碑林博物館。

朱雀 玄武畫像石

隋

河南洛陽市出土。

高46、寬56厘米。

爲石棺前、後擋畫像。朱雀昂首挺胸，一足立于覆蓮之上，代表南方之神；玄武爲龜蛇合體，代表北方之神。

現藏美國。

朱雀

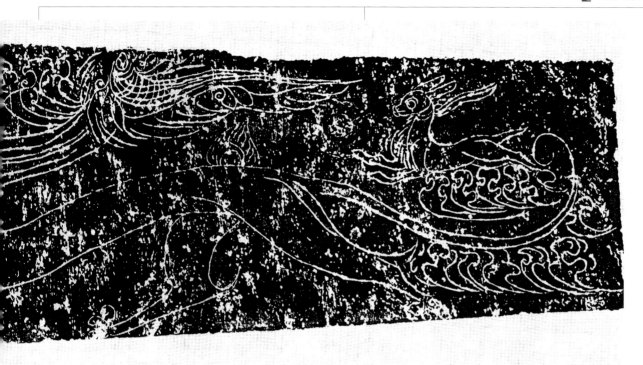

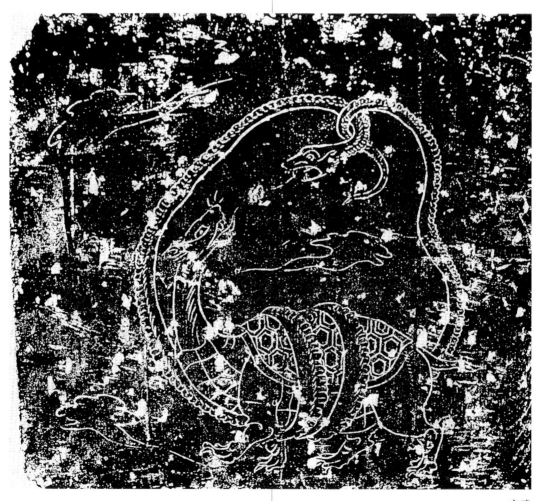

玄武

北齊北周隋（公元五五〇年至公元六一八年）

青龍 白虎畫像石
隋
河南洛陽市出土。
石棺畫像。畫面分別
爲一青龍和一白虎奔
走于雲間。
現藏美國。

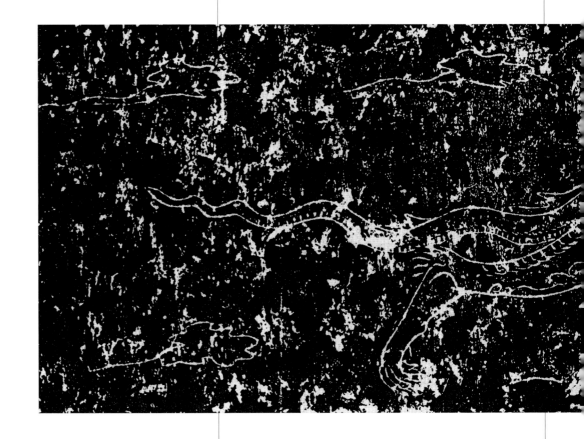

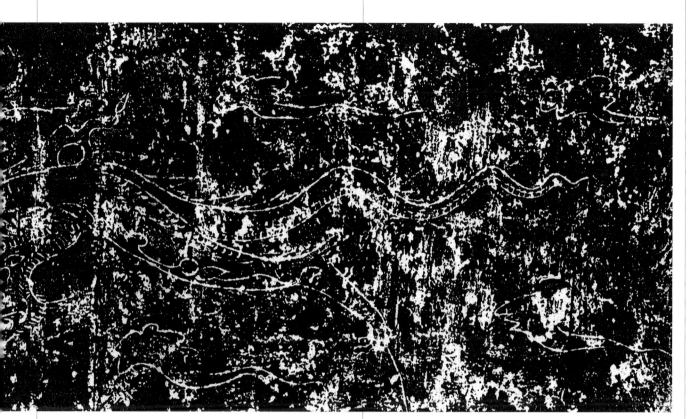

畫像石青龍

畫像石白虎

浮雕石椁

隋

山西太原市晋源區王郭村虞弘
墓出土。

椁長243、寬135、高96厘米。

石椁爲仿木結構殿堂式建築，
四周内側皆爲浮雕畫像，上施
彩繪。

現藏山西省考古研究所。

行旅畫像石

隋

山西太原市晉源區王郭村虞弘墓出土。
高96、寬69厘米。

石椁畫像。上部爲一人牽一馬，馬右側立三人，馬身下有二犬。下部爲一奔馬。

現藏山西省考古研究所。

騎駝與獅搏鬥畫像石

隋

山西太原市晉源區王郭村虞弘墓出土。

高96、寬69厘米。

石椁畫像。上部爲一騎者騎一單峰駝，回身持弓箭射殺一獅。下部爲一奔鹿。

現藏山西省考古研究所。

宴樂畫像石

隋

山西太原市晉源區王郭村虞弘墓出土。

高96、寬100.15厘米。

石椁畫像。上部爲一亭臺，臺上坐一對男女對飲，兩側各有二名侍者。亭臺前六樂者和一舞者表演樂舞。下部爲二人與二獅搏鬥，二獅已將人頭吞入口中。

現藏山西省考古研究所。

騎象與獅搏鬥畫像石

隋

山西太原市晉源區王郭村虞
弘墓出土。

高96、寬45厘米。

石椁畫像。上部爲一騎者騎
一象，持劍回身劈殺一獅。
下部爲一頸繫綬帶的鳥。
現藏山西省考古研究所。

北齊北周隋（公元五五〇年至公元六一八年）

騎馬飲食畫像石

隋

山西太原市晉源區王郭村虞弘墓出土。

高95.5、寬55.2厘米。

石椁畫像。上部爲三人一馬在行途中駐足飲食的情景。下部爲一山羊邁步前行。

現藏山西省考古研究所。

休息飲樂畫像石

隋

山西太原市晉源區王郭村
虞弘墓出土。

高96、寬52厘米。

石椁畫像。上部爲主僕三
人休息的場面，主人戴
冠，坐于藤座上，手持大
口杯。一僕跪地捧果盤，
另一僕持琵琶彈奏。下部
爲一奔鹿。

現藏山西省考古研究所。

出行畫像石

隋

山西太原市晋源區王郭村虞弘墓出土。
高96、寬70.5厘米。

石椁畫像。上部爲一戴冠人物騎馬穿行，馬後一侍從持華蓋跟隨。馬前樹下一侍從持果盤站立。下部爲牛獅搏鬥。

現藏山西省考古研究所。

祭祀畫像石

隋

山西太原市晋源區王郭村虞弘墓出土。

高96、寬52厘米。

石椁座前畫像。畫面正中爲祆教祭壇。壇兩側各立一人首鷹身之神，頭戴冠，手戴手套，一手捂口，一手抬祭壇。

現藏山西省考古研究所。

飲酒畫像石

隋

山西太原市晋源區王郭村虞弘墓出土。

高96、寬52厘米。

石椁座前畫像。畫面正中爲一單柄大酒壺，左側一人手持一長管形物，似在吹奏，右側一人手舉碗，賞樂飲酒。

現藏山西省考古研究所。

侍者畫像石

隋

山西太原市晋源區王郭村虞弘墓出土。

石椁座前畫像。龕內二男子均有頭光，黑色短髮，戴項圈，肩披長帔。左側男子手托圓盤，右側男子抱一大壺。

現藏山西省考古研究所。

演樂畫像石

隋

山西太原市晋源區王郭村虞弘墓出土。

石椁座前畫像。左側一人雙手持橫笛吹奏，右側一人胸前持束腰鼓，二手拍擊。

現藏山西省考古研究所。

獵鹿畫像石

隋

山西太原市晉源區王
郭村虞弘墓出土。
石樟座畫像。畫面
左側爲一奔鹿，鹿
後一獵者騎馬持弓
箭追射。
現藏山西省考古研
究所。

獵鹿畫像石

隋

山西太原市晉源區王
郭村虞弘墓出土。
石棺座畫像。圖案爲
一獵者騎馬弁馳，左
手持弓，右手扯弦。
馬前有一獵犬作回首
奔跑狀。
現藏山西省考古研
究所。

唐五代十國（公元六一八年至公元九六○年）

墓門畫像

唐

陝西三原縣焦村李壽墓出土。
每扇門高216、寬165厘米。

兩扇門均爲上部飾朱雀，下部飾孔雀，門楣飾趴伏的怪獸。
墓主人葬于唐貞觀五年（公元631年）。
現藏陝西省西安碑林博物館。

石椁畫像

唐

陝西三原縣焦村李壽墓出土。

石椁高222、長355、寬185厘米。

石椁前後左右外壁上部分別雕朱雀、玄武、青龍、白虎和乘龍駕鳳的仙人，前、後面的下部中間爲兩扇門，門上飾鋪首和朱雀，門兩側爲武士和文吏。

現藏陝西省西安碑林博物館。

石椁畫像
局部之一

石椁畫像局部之二

石椁畫像局部之三

伎樂畫像石

唐

陝西三原縣焦村李壽墓出土。

高151、寬98厘米。

石椁內壁畫像。畫面分三組，每組人物均頭盤高髻，跪坐于地，演奏樂器。第一組爲撥弦樂，第二組爲吹管樂，第三組爲打擊樂。

現藏陝西省西安碑林博物館。

唐五代十國（公元六一八年至公元九六○年）

演奏畫像石
唐
陝西三原縣焦村李壽墓
出土。
石槨內壁畫像。畫面表
現十二名樂人各持笙、
排簫、長笛、琵琶等樂
器進行表演。
現藏陝西省西安碑林博
物館。

舞樂畫像石

唐

陝西三原縣焦村李壽
墓出土。

石棺內壁畫像。畫面
表現六名女子寬袖長
袍，足蹬雲頭履，兩
人一組，相對而舞。
現藏陝西省西安碑林
博物館。

宮女畫像石

唐

陝西乾縣懿德太子墓出土。

石椁畫像。兩宮女皆梳高髻，着盛裝，袖手而立，作守門狀，四周飾花草紋。門扇之上飾一對朱雀。

墓主人葬于唐神龍二年（公元706年）。

現藏陝西省乾陵博物館。

宮女畫像石
唐
陝西乾縣懿德太子墓出土。
高133、寬74厘米。
石槨畫像。兩宮女相對而立，左側宮女手拿花朵，作欣賞評說狀，右側宮女雙手合于胸前，作靜聽狀。
現藏陝西省乾陵博物館。

唐五代十國（公元六一八年至公元九六〇年）

宮女畫像石
唐
陝西乾縣唐永泰公
主墓出土。
高132、寬74厘米。
石椁畫像。宮女上
着短襦，下着長裙
拽地，右手執花
朵，左手撫弄花
葉，作觀賞狀。
墓主人葬于唐神
龍二年（公元706
年）。
現藏陝西省乾陵博
物館。

宮女畫像石

唐

陝西乾縣唐永泰
公主墓出土。

高132、寬74
厘米。

石椁畫像。宮女
着唐裝，披紗
巾，長裙拽地，
人物比例協調，
姿態優美。

現藏陝西省乾陵
博物館。

馴鳥仕女畫像石

唐

陝西西安市長安區南里王村韋泂墓出土。

高95、寬45厘米。

石棺畫像。仕女捧小鳥，與小鳥作交流狀。

墓主人葬于唐景龍二年（公元708年）。

現藏陝西省西安碑林博物館。

宮女畫像石

唐

陝西乾縣唐永泰公主墓出土。

高132、寬74厘米。

石槨畫像。兩宮女正在逗耍手中的小鳥。

現藏陝西省乾陵博物館。

生肖畫像（選兩幅）

唐

陝西西安市長安區韋頊墓出土。

墓志四周刻生肖畫像。此選牛、羊兩幅。
現藏陝西歷史博物館。

生肖畫像之一

生肖畫像之二

唐五代十國（公元六一八年至公元九六〇年）

捕蝶畫像石

唐

陝西西安市長安區韋頊墓出土。

石椁外壁畫像。仕女頭梳高髻，着翻領短襦，長裙拽地，輕盈地在花叢中捕蝶。

墓主人葬于唐開元六年（公元718年）。

現藏陝西省西安碑林博物館。

執鏡畫像石

唐

陝西西安市長安區韋頊墓出土。

石椁外壁畫像。仕女頭戴花氈帽，着長袖短襦，執鏡照面。

現藏陝西省西安碑林博物館。

侍女畫像石

唐

陝西西安市長安區韋頊墓出土。

高124、寬66厘米。

石椁畫像。侍女頭戴胡帽，身着綉花翻領窄袖長袍，腰繫皮帶，下穿綉花長褲和花便鞋。身邊一童子，正張弓欲射空中的飛鳥。

現藏陝西省西安碑林博物館。

托盤侍女畫像石

唐

陝西西安市長安區韋頊墓出土。

石椁外壁畫像。圖中侍女梳短髮髻，上着翻領胡服和花紋圓領內衣，下着長褲，圍長裙，手托果盤，緩步前行。

現藏陝西省西安碑林博物館。

門額畫像石

唐

山西萬榮縣皇甫村薛儆墓出土。

門額全長161、高26厘米。

門額滿雕捲蓮紋地，地上雕七個動物，從左至右分別爲

立鳳、獅和翼馬競奔、雙獅相鬥、奔獅和飛鳳。所選爲局部。

墓主人葬于唐開元九年（公元721年）。

現藏山西省考古研究所。

獅子 舞鶴畫像石

唐

山西萬榮縣皇甫村薛儆墓出土。

高124厘米。

石椁外壁畫像。畫面上部刻一獅，下部刻一舞鶴，四周刻滿纏枝蓮花紋。

現藏山西省考古研究所。

窗 仙鶴畫像石

唐

山西萬榮縣皇甫村薛儆墓出土。

通高125、寬62.5厘米。

石椁外壁畫像。畫面中部爲由十四根竪條組成的直櫺窗。窗上部有二仙鶴，嘴銜花枝，作飛翔狀。仙鶴中間刻一蓮花紋。

現藏山西省考古研究所。

唐五代十國（公元六一八年至公元九六〇年）

侍女畫像石
唐

山西萬榮縣皇甫村薛儆墓出土。

通高125、寬65.4厘米。

石椁外壁畫像。門扉刻二相對侍女，頭挽高髻，着開領袒胸寬袖長裙，面容清秀端莊。門框四周刻蔓草紋。

現藏山西省考古研究所。

執扇侍女畫像石

唐

山西萬榮縣皇甫村薛儆墓出土。

人像高106.8厘米。

石椁外壁畫像。侍女頭梳高髻，戴貼花髮罩。左手持
竹節扇柄，右手扶扇面上緣。

現藏山西省考古研究所。

捧盤侍女畫像石

唐

山西萬榮縣皇甫村薛儆墓出土。

人像高107.4厘米。

石椁內壁畫像。侍女戴軟幞頭巾，着開領窄袖長袍，
足蹬錦製翹尖鞋。雙手捧花盤，內盛食物。

現藏山西省考古研究所。

唐五代十國（公元六一八年至公元九六〇年）

執扇侍女畫像石

唐

山西萬榮縣皇甫村薛儆墓出土。

人像高96厘米。

石椁内壁畫像。侍女頭梳雙髻，着窄袖衫、長裙。左手下垂，右手上扶帔帛。

現藏山西省考古研究所。

胡服侍女畫像石

唐

山西萬榮縣皇甫村薛儆墓出土。

人像高110.5厘米。

石椁内壁畫像。侍女戴幞頭，着圓領衫，外穿窄袖胡服，下着條紋褲，雙手捧一方盒。

現藏山西省考古研究所。

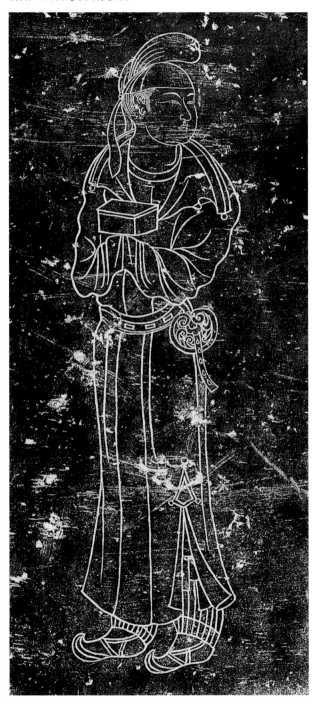

戲蝶侍女畫像石

唐

山西萬榮縣皇甫村薛儆墓出土。

人像高103厘米。

石椁內壁畫像。侍女頭梳高髻，着束胸長裙，右手插入
長帔中，左手于胸前拈一朵蓮花，戲弄一隻飛舞的花翅
蝴蝶。

現藏山西省考古研究所。

侍女畫像石

唐

山西萬榮縣皇甫村薛儆墓出土。

人高107.8厘米。

石椁內壁畫像。侍女頭梳高髻，臉形豐滿，彎眉細眼，
直鼻小口。身穿帔帛，着窄袖長裙，外套短襦。右手半
舉執一蓮花，側身站立。

現藏山西省考古研究所。

男侍畫像石

唐

陝西蒲城縣坡頭鎮惠莊太子李撝墓出土。

人像高91厘米。

墓門畫像。男侍持笏而立，聳肩縮脖，腰微躬。

墓主人葬于唐開元十二年(公元724年)

現藏陝西省考古研究院。

男侍畫像石

唐

陝西蒲城縣坡頭鎮惠莊太子李撝墓出土。

人像高91厘米。

墓門畫像，男侍頭戴幞頭，着圓領窄袖小袍，拱手而立。

現藏陝西省考古研究院。

侍女畫像石

唐

陝西西安市楊執一墓出土。

高104、寬44厘米。

墓門畫像。侍女臉形豐滿，身着長裙，手捧奩盒。

墓主人葬于唐開元十五年（公元727年）。

現藏陝西省西安碑林博物館。

侍女畫像石

唐

陝西西安市楊執一墓出土。

高104、寬44厘米。

墓門畫像。侍女梳高髻，戴披肩，長裙拽地。

現藏陝西省西安碑林博物館。

門楣和門額畫像

唐

陝西蒲城縣李憲墓出土。

門楣高69、底邊殘長135厘米；門額高31、長165厘米。

墓門由門楣、門額、門柱、門扉、門檻及門墩六部分組成。門楣上刻雙鳳相對，皆口銜牡丹；門額表現舉爪之雙龍。

墓主人葬于唐天寶元年（公元742年）。

現藏陝西省考古研究院。

忍冬 仙人騎獸畫像石（右圖）

唐

陝西蒲城縣李憲墓出土。

高149、寬30厘米。

石樽立柱畫像。一面爲由忍冬捲草紋組成的串聯桃形紋
樣，桃形紋樣内分别繪仙人騎瑞獸、人身鳥尾的神鳥；
另一面則爲波浪狀纏枝蔓草紋，中間飾以銜枝鳥。

現藏陝西省考古研究院。

門楣畫像

門額畫像

[畫像石]

唐
五
代
十
國
（
公
元
六
一
八
年
至
公
元
九
六
〇
年
）

忍冬 動物畫像石（兩幅）

唐

陝西蒲城縣李憲墓出土。

左石高148、寬37厘米；右石高148、寬35厘米。

石椁立柱畫像。刻由忍冬捲草紋組成的串聯桃形紋樣，桃形紋樣內分別有獅、羊、銜枝鳥、昆侖奴坐騎之瑞獸及牡丹花等。

現藏陝西省考古研究院。

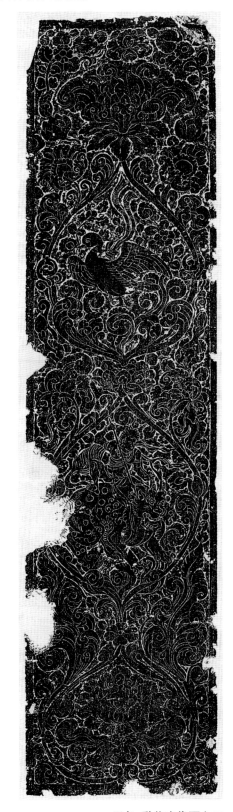

忍冬 動物畫像石之一

忍冬 動物畫像石之二

侍女畫像石
唐
陝西蒲城縣李憲墓出土。

高146、寬96厘米。
石椁畫像。兩侍女一着拽地長裙，持笏板；一着男裝，
捧長方形團花錦盒。
現藏陝西省考古研究院。

侍女畫像石（兩幅）

唐

陝西蒲城縣李憲墓出土。

左高147、寬73厘米；右高145、寬45厘米。

石椁畫像。左圖仕女着翻領胡服，雙手抱于胸前，肩後斜背兩柄馬球杆；右圖侍女長袖掩手拱于胸前。

現藏陝西省考古研究院。

侍女畫像石之一

侍女畫像石之二

仕女畫像石

唐

陝西蒲城縣李憲墓出土。
高145、寬80厘米。
石椁畫像。居中爲一仕
女，頂戴葉形簪花義髻，
上身着小襦衫，下繫拽地
長裙，雙手持笏板。
現藏陝西省考古研究院。

唐五代十國（公元六一八年至公元九六〇年）

生肖畫像

唐

北京豐臺區趙悦墓出土。

高48、寬48厘米。

墓志蓋畫像。四側每邊刻三個獸首人身的生肖像，均爲褒衣博帶、手持笏板的文官形象，墓志蓋四角各刻一寶相花。

墓主人葬于唐大曆十二年（公元777年）。

現藏首都博物館。

生肖畫像

唐

北京豐臺區董慶長墓出土。

墓志蓋畫像。四周每邊各刻三位戴進賢冠、穿寬袖袍服、着雲頭履的文官像，每人手中各抱一生肖。

墓主人葬于唐大中十二年（公元858年）。

現藏首都博物館。

鳳鳥花卉畫像石
唐
陝西銅川市耀州區出土。

石棺畫像。左右欄内爲鳳鳥和寶相花圖案，中間欄内爲花卉圖案。
現藏陝西省銅川市耀州區博物館。

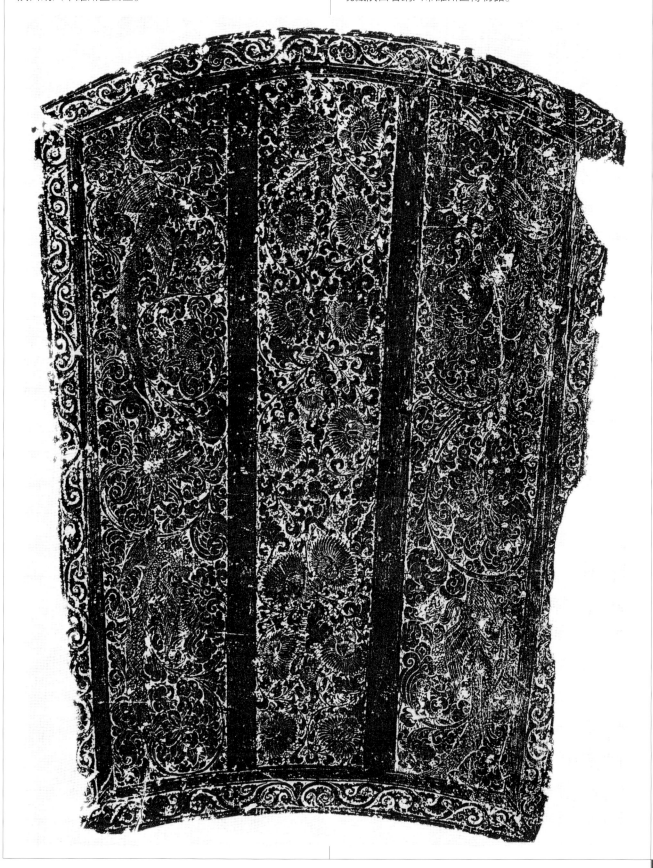

彩繪奉侍畫像石

五代十國·後梁
河北曲陽縣靈山鎮西燕川村王處直墓後室東壁出土。
高82、寬136厘米。

畫面共十四人，除左下角一侏儒外，皆爲侍女，分別手
持不同生活用具和器皿。
現藏河北省文物研究所。

［畫像石］

彩繪散樂畫像石

五代十國·後梁
河北曲陽縣靈山鎮西燕川村王處直墓後室西壁出土。
高82、寬136厘米。

畫面共十五人，最前一人爲男裝，其下二矮小舞者。女樂十二人，分別演奏箜篌、笛、拍板和大鼓等。
現藏河北省文物研究所。

唐五代十國（公元六一八年至公元九六〇年）

［畫像石］

彩繪武士畫像石

五代十國・後梁
河北曲陽縣靈山鎮西燕川村
王處直墓甬道出土。
高113、寬58厘米。
武士頭戴盔，盔上有鳳，身
着鎧甲，手拄長劍，足下踏
臥牛。
現藏中國國家博物館。

昭陵六駿之颯露紫畫像石

北宋

高35、寬42厘米。

昭陵六駿原爲唐太宗李世民墓前浮雕畫像。此爲北宋元祐四年（公元1089年）摹刻。圖中颯露紫姿態雄健，馬前大將軍丘行恭正在爲颯露紫拔箭。

現藏陝西省昭陵博物館。

人物畫像

北宋

河南鞏義市宋陵趙珌墓出土。

寬95厘米。

墓志畫像。圖中暖閣內挂帳，一人端坐靠背椅，雙手執笏，雙足穿雲頭履踏于板上。其畫四面共十二個人物，似爲宋代常見的十二地神。

墓主人葬于北宋元祐八年（公元1093年）。

現藏河南博物院。

朱雀畫像

北宋

河南鞏義市宋陵趙珺墓出土。

高20.2、寬94厘米。

墓志畫像。刻朱雀正面形象，朱雀振翅翹尾，狀如孔雀開屏。左右飾雲紋。

現藏河南博物院。

出殯畫像石

北宋

河南滎陽市槐西村出土。

寬193厘米。

石棺側擋畫像。圖右側一組三位女性執幡右向行，二
組爲四僧人，三組爲五人一馬行進圖；左側爲一所四合
院。全圖表現爲由宅院向墓地出行的送葬場面。

墓主人葬于北宋紹聖三年（公元1096年）。

現藏河南博物院。

二十四孝畫像石(兩幅)

北宋

河南孟津縣張盤村張君墓出土。

高85、寬220厘米。

石棺側擋畫像。上圖爲魯義姑、劉殷、孫悟元覺、睒子、鮑山、曾參、姜詩、王武子妻、楊香、田真等孝行故事；下圖爲趙孝宗、郭巨、丁蘭、劉明達、舜子、

曹娥、孟宗、蔡順、王祥、董永等孝行故事。棺後擋還刻有韓伯俞、閔損、陸績、老萊子孝行故事。此石棺共表現二十四位孝行人物，是現知較早的二十四孝圖像資料。孝行人物上、下兩端還刻有仙女和祥雲。

墓主人葬于北宋崇寧五年（公元1106年）。

現藏河南省洛陽古代藝術館。

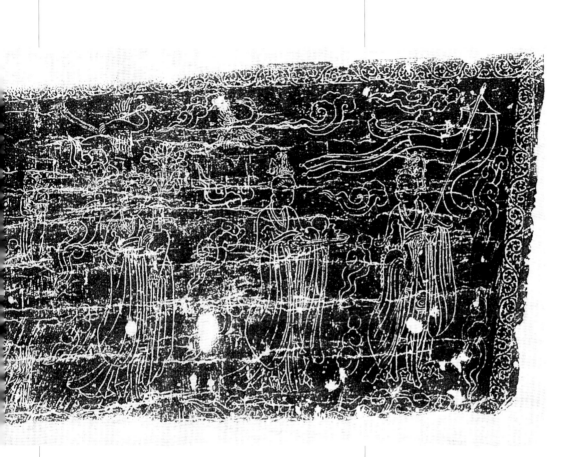

二十四孝畫像石之一

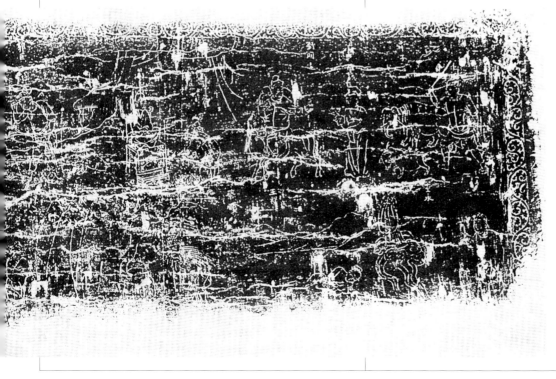

二十四孝畫像石之二

北宋至明（公元九六〇年至公元一六四四年）

童男童女畫像石

北宋

河南鞏義市宋陵出土。

高110、寬130厘米。

石棺前擋畫像。右爲男童，束髮，穿圓領斜襟長袍，雙手當胸而立；左爲女童，高髻簪花，着緊身短襦，雙手端一奩盒，右向側立。

墓主人葬于北宋宣和七年（公元1125年）。

仕女畫像石

北宋

河南禹州市白沙水庫庫區出土。

高67、寬230厘米。

石棺側擋畫像。四女子各執畫軸、書、奩盒、織物漫步于花草樹木之間。上部飾雲氣紋，另三邊飾牡丹纏枝紋。

現藏河南博物院。

供案畫像石

北宋

河南禹州市白沙水庫庫區
出土。

高69、寬68厘米。

石棺前擋畫像。帳室內設
一供案，上置牌位、供
品。案右側刻一男子，雙
手托酒壺；左側刻一女
子，雙手捧盤。

現藏河南博物院。

曾參孝行畫像石（上圖）

北宋

河南鞏義市米河半個店出土。

高80厘米。

石棺側板畫像。圖左一老嫗端坐于一高背椅上，右側一青年男子挑柴來到近前，與老嫗説話。爲曾參孝行故事。

趙孝宗孝行畫像石

北宋

河南鞏義市米河半個店出土。

高80厘米。

石棺側板畫像。圖左一長者戴幞頭，披寬袖長袍，正襟端坐于椅上，右側二年青男子着窄袖短袍，躬身行禮。爲趙孝宗孝行故事。

姜詩妻孝行畫像石（上圖）

北宋

河南鞏義市米河半個店出土。

高80厘米。

石棺側板畫像。圖右一老嫗端坐于圓形凳上，右手前指，左手握棍，左側年輕女子肅立静聽，中間一股噴泉中躍出三條鯉魚。爲姜詩妻孝行故事。

韓伯瑜孝行畫像石

北宋

河南鞏義市米河半個店出土。

高80厘米。

石棺側板畫像。圖左一老嫗端坐高背椅上，右側一青年躬身站立于老嫗前，作哭泣狀。爲韓伯瑜泣笞傷老的故事。

雙鳳畫像石

金

北京房山區周口店鎮金太祖陵出土。

長248、寬120厘米。

該墓石椁之蓋、身均爲石雕鑿而成，椁蓋及石椁南、北
外壁均刻雙鳳及捲雲紋，周飾纏枝忍冬紋，東、西擋板
則雕刻團鳳及捲雲紋。石椁周邊均采用"剔地起花"并
描金綫的雕刻手法。該圖爲石椁椁蓋之雙鳳。

現藏首都博物館。

雙鳳畫像石

金

北京房山區周口店鎮金太祖陵出土。

長248、寬106厘米。

此圖爲石椁南壁畫面。畫面爲雙鳳及捲雲紋。

現藏首都博物館。

北宋至明（公元九六〇年至公元一六四四年）

龍畫像石

金

北京房山區周口店鎮金太祖陵出土。

該槨僅殘留底部、部分槨蓋及東槨板。該圖爲石槨東壁之龍。

現藏首都博物館。

龍畫像石實物

龍畫像石拓片

北宋至明（公元九六〇年至公元一六四四年）

元覺孝行畫像石

金

河南修武縣城西史平陵村出土。

高50厘米。

石棺畫像。圖中部一男子，頭戴軟巾，着斜襟長袍，右手持木棍，左手指點面前的一男童。爲元覺孝行故事。

現藏河南省洛陽古墓博物館。

雜劇畫像石

金

河南修武縣城西史平陵村出土。

高55、寬120厘米。

石棺畫像。表現雜劇演出場面，左六人、右四人皆爲司樂，中間爲二人作場演雜劇，上刻曲牌名《小石調·嘉慶樂》六字。

現藏河南省修武縣文化館。

貴婦梳妝畫像石

金

河南修武縣城西史平
陵村出土。

高55、寬60厘米。

石棺左側畫像。圖中
坐一貴婦，面容豐
滿，高髻簪花，繫裙
坐椅上，兩旁四名侍
女，分持奩盒、鏡及
團扇，右側刻一男
童，雙手捧盤站立。

現藏河南省洛陽古墓
博物館。

梳妝温酒畫像石（上圖）

金

河南焦作市郊王莊鄒瓊墓出土。

高53、寬105厘米。

圖左側刻一貴婦、四女僕；右側刻一男童執扇搧火，一人執勺，另一老者提帶站立。

墓主人葬于金承安四年（公元1199年）。

現藏河南省洛陽古墓博物館。

孟宗 王祥孝行畫像石

金

河南焦作市郊王莊鄒瓊墓出土。

高53、寬80厘米。

圖左爲三國時江夏人孟宗哭竹故事，右爲晋時臨沂人王祥臥冰求魚故事。

現藏河南省洛陽古墓博物館。

執壺侍女畫像石

南宋

四川瀘縣石橋鎮新屋嘴村石室墓
出土。

高90厘米。

侍女頭戴冠飾，面部豐腴，立于
桌旁。

現藏四川省文物考古研究所。

騎虎男子畫像石

南宋

四川瀘縣石橋鎮新屋嘴村石室墓
出土。

高44、寬84厘米。

一執扇男子騎于虎背之上，旁邊
小山頭上還有一男子作俯視狀，
另有三隻小虎從山上撲來。

現藏四川省文物考古研究所。

北宋至明（公元九六〇年至公元一六四四年）

男女伎樂畫像石
南宋
四川瀘縣石橋鎮新屋嘴村石室墓出土。
高95、寬78厘米。
男女伎樂均頭戴冠飾，手持打擊樂器。
現藏四川省文物考古研究所。

樂舞人物畫像石
南宋
四川瀘縣石橋鎮新屋嘴村石室墓出土。
高55、寬162厘米。
四個女樂手手執不同的樂器演奏，中間兩個女伎翩翩而舞。
現藏四川省文物考古研究所。

鎮墓神將畫像石

南宋

四川瀘縣牛灘鎮灘上村石室墓出土。

高161.5厘米。

神將面目猙獰，手持兵器。

現藏四川省文物考古研究所。

女舞者畫像石

南宋

四川瀘縣石橋鎮新屋嘴村石室墓出土。

高102厘米。

舞者頭戴冠飾，背插蓮花，長袖、束帶，腿部彎曲，呈舞姿狀，表面描繪的硃砂顏料已剝落。

現藏四川省文物考古研究所。

北宋至明（公元九六〇年至公元一六四四年）

執團扇侍女畫像石

南宋
四川瀘縣牛灘鎮灘上村石室墓出土。
高90厘米。
侍女手執長柄團扇，站立于座椅後側。
現藏四川省文物考古研究所。

婦人啓門畫像石

南宋
四川瀘縣福集鎮龍興村石室墓出土。
高66厘米。
婦人頭梳雙髻，身着長裙，啓門而立。
現藏四川省文物考古研究所。

戲曲孝行故事畫像石

明

河南原陽縣夾灘舊村馮氏墓出土。

高58.5、寬65厘米。

石棺畫像。左邊兩幅表現明代戲曲故事，左上爲"曹莊磨刀勸妻"，左下爲"鄧伯道弃子留侄"；右邊兩幅分別爲"單衣順母"和"黃香搧枕"孝行故事。

墓主人葬于明嘉靖三十九年（公元1560年）。

現藏河南省原陽縣文物管理所。

畫　像　磚

太陽紋畫像磚

秦

陝西咸陽市秦都1號
宮殿遺址出土。

高32、寬44厘米。

畫面整體飾雙斜綫
菱格紋，分成大小
不等的菱形，大菱
形塊內飾太陽紋，
其餘空間填以"S"
紋和"○"紋。

現藏陝西省咸陽博
物館。

鳳紋畫像磚

秦

陝西咸陽市秦都1號
宮殿遺址出土。

高37、寬41厘米。

鳳冠直立，眼圓
睜，嘴微張，鳳體
上翻，飾相間的斜
綫紋和捲雲紋，鳳
尾旋捲。

現藏陝西省咸陽博
物館。

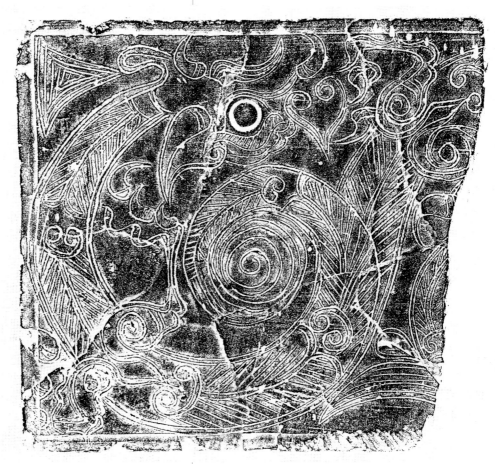

秦西漢新（公元前二二一年至公元二五年）

龍紋畫像磚

秦

陝西咸陽市秦都2號宮殿遺址出土。

高39、寬117、厚16.3厘米。

磚正面陰刻單龍繞璧，龍身刻鱗甲，龍首回望，龍尾捲
曲，此磚用作宮殿踏步。

現藏陝西省考古研究院。

雙龍繞鳳鳥璧畫像磚

秦

陝西咸陽市秦都3號宮殿遺址出土。

高39.8、寬120厘米。

雙龍首尾相銜，龍身捲曲繞三圓璧，璧上飾
展翅的鳳鳥。

現藏陝西省考古研究院。

龍紋空心畫像磚

秦

陝西咸陽市秦都建築遺址出土。

高39、殘寬66厘米。

畫面爲單龍繞璧紋，龍雙眼圓睜，有翼，尾内捲，足三爪。

現藏陝西省咸陽博物館。

秦西漢新（公元前二二一年至公元二五年）

龍紋畫像磚
西漢
陝西西安市出土。
高37、寬118、厚19厘米。
磚正面及頂面模印二龍戲璧紋，間飾靈芝；磚右側面模
印走龍一條。
現藏陝西歷史博物館。

龍紋畫像磚正面

龍紋畫像磚頂面

秦西漢新（公元前二二一年至公元二五年）

龍紋畫像磚右側面

雙虎畫像磚

西漢

陝西出土。

高32、殘寬60厘米。

畫面雙虎對稱，前爪抬起，似在嬉戲打鬧。

現藏陝西省西北大學歷史博物館。

宴飲畫像磚

西漢
陝西鳳翔縣彪角鎮出土。
高45.6、寬33.7厘米。

畫面分爲六欄。上五欄爲畫面相同的宴飲圖，均爲左側兩位身着寬袖長袍之人對座，身旁置酒器，右旁爲一着窄袖的僕人。最下欄爲連綿的群山，山間有野獸。現藏陝西省西北大學歷史博物館。

秦西漢新（公元前二二一年至公元二五年）

玄武紋畫像磚

西漢

陝西興平市南位鎮道常村出土。

高37.5、寬117.5厘米。

畫面左右爲頭部相向對稱的一對玄武。

現藏陝西省茂陵博物館。

玄武紋畫像磚實物

玄武紋畫像磚拓片

虎紋畫像磚

西漢

陝西興平市南位鎮道常村出土。
長45、寬13厘米。
虎身有條紋，虎作邁步行走狀。
現藏陝西省茂陵博物館。

虎紋畫像磚實物

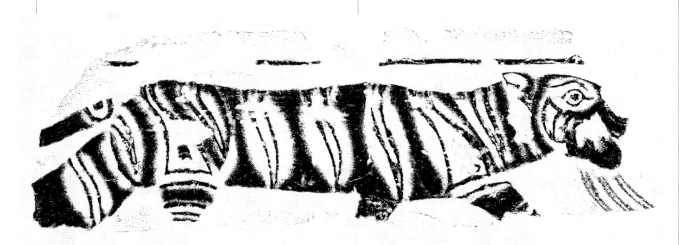

虎紋畫像磚拓片

青龍畫像磚

西漢

陝西興平市西吳鎮北吳村出土。

高37、寬63.5厘米。

原畫面應爲兩條相向捲曲的青龍。龍頭上有雙角，龍口
上下有鬚，身上有鱗有鰭。

現藏陝西省茂陵博物館。

朱雀畫像磚

西漢

陝西咸陽市平官道村出土。

高36、寬114.5厘米。

畫面爲一昂首揚翅的朱雀，口中銜珠。磚左部已殘，
應有一與右部對稱的朱雀。

現藏陝西省茂陵博物館。

雙虎紋畫像磚
西漢

陝西咸陽市二道原下36號墓出土。

畫像磚正面雕雙虎相背，一虎張口怒目，後腿揚起向前飛奔，另一虎回首張望行走。側面雕雙虎相背，作行走狀。

現藏陝西省咸陽博物館。

虎紋畫像磚
西漢

陝西咸陽市二道原下36號墓出土。

高38、寬116厘米。

畫像磚正面爲雙虎相對，皆昂首，一前肢上舉，尾上捲，身飾雙綫條斑紋。側面爲雙虎紋，兩虎中間飾一乳釘紋玉璧。

現藏陝西省咸陽博物館。

龍紋畫像磚
西漢
陝西咸陽市二道原下36號墓出土。
高36.5、寬118.5厘米。
畫像磚正面雙龍身飾鱗甲，回首相望，龍兩尾相交繞一
乳釘紋玉璧。側面二龍回首行走，兩尾之間飾一璧。
現藏陝西省咸陽博物館。

雙鳳紋畫像磚
西漢
陝西咸陽市二道原下36號墓出土。
高38、寬136厘米。
畫像磚正面爲雙鳳相對，鳳雙冠，屈頸昂首，口含珠，
有孔雀式尾，雙鳳之間飾一樹。側面雙鳳屈頸回首，單
冠，嘴含珠，作飛翔狀。
現藏陝西省咸陽博物館。

伏虎畫像磚
西漢
山東濟寧市雞黍鎮徐廟村出土。
高33、寬113厘米。
中間爲一神人，牛頭，身軀瘦小，雙手各擒一白虎尾
端。兩虎昂首瞪目，張口吐舌，作挣扎逃跑狀。
現藏山東省濟寧市博物館。

降龍畫像磚
西漢
山東濟寧市雞黍鎮徐廟村出土。
高34、寬115厘米。
中間爲一神人，蹲坐式，雙脚各踏一龍。兩龍相交，頭
尾相接，昂首瞪目，張口露齒。
現藏山東省濟寧市博物館。

扶桑樹　白馬　鶴畫像磚（上圖）

西漢

河南洛陽市出土。

高76、寬103厘米。

畫面爲兩株扶桑樹，樹下一白馬昂首站立，四隻仙鶴行
走樹間。

現藏河南博物院。

朱雀　虎　花紋畫像磚

西漢

河南洛陽市出土。

高43、寬126厘米。

畫面分兩層。上層爲三朱雀，下層爲三虎，上下對稱。
空白處飾梅花和柿紋圖案。

現藏河南博物院。

木連理　白馬　鶴畫像磚（上圖）
西漢
河南洛陽市出土。
高76、寬103厘米。
畫面爲兩株木連理，樹下一白馬昂首而立，五隻仙鶴行
走樹間。
現藏河南博物院。

駿馬畫像磚
西漢
河南洛陽市出土。
高53、寬143厘米。
畫面爲四匹駿馬一字排開，同向行走。
現藏河南博物院。

朱雀 白虎 白馬 小吏畫像磚

西漢

河南洛陽市出土。

高46、寬136厘米。

畫面分兩層。上層爲三朱雀；下層中間爲一白虎，左右各有一白馬和一持戈小吏。

現藏河南博物院。

樹 朱雀 小吏 白馬畫像磚

西漢

河南洛陽市出土。

高52、寬136厘米。

畫面分兩層。上層爲三朱雀和二仙鶴；下層左側爲一扶桑樹，右側爲二持戈小吏各引一白馬向前行進。

現藏河南博物院。

狩獵畫像磚

西漢

河南洛陽市出土。

高53、寬124厘米。

畫面中間爲一回身跪射的獵人，獵人右側爲兩隻狂奔的麋鹿，左側爲一斑豹和仙鶴，上方有三獵鷹飛翔。

現藏河南博物院。

朱雀　白馬　白虎畫像磚

西漢

河南洛陽市出土。

高46、寬136厘米。

畫面分兩層。上層爲四朱雀，下層爲兩白馬和兩白虎相向而行。

現藏河南博物院。

門吏畫像磚

西漢

河南洛陽市出土。

高103、寬47厘米。

二門吏頭扎巾幘，穿寬袖大袍，腳穿雲頭大履，雙手持戈恭立。

現藏河南博物院。

朱雀 龍 飛鳥畫像磚

西漢

河南洛陽市出土。

高135、寬34厘米。

畫面分爲九組。第一組爲二飛鳥，第二、五、八組爲變形龍紋，第三、六組爲一飛鳥和二朱雀以及三乳丁紋，第四組爲一飛鳥和二乳丁紋，第七組爲四飛鳥和六乳丁紋，第九組爲一飛鳥、四朱雀和三乳丁紋。

現藏河南博物院。

彩繪青龍畫像磚

新

河南偃師市辛村壁畫墓出土。

圖中青龍左向，作奮力騰飛狀。

彩繪白虎畫像磚

新

河南偃師市辛村壁畫墓出土。

圖中白虎右向，張口露齒，作疾走狀。

東漢（公元二五年至公元二二〇年）

樓閣　車馬　人物畫像磚

東漢

河南鄭州市出土。

高111、寬49.7、厚16厘米。

兩面共模印各種畫面七十幅，內容有闕樓、車馬、射獵、長袖舞、建鼓舞和吹奏，還有朱雀、小鳥、貓頭鷹以及五銖錢、鋪首銜環等。

現藏河南省文物考古研究所。

樓閣　車馬　人物畫像磚正面實物

樓闕　車馬　人物
畫像磚正面拓片

東漢（公元二五年至公元二二〇年）

樓闕 車馬 人物
畫像磚背面實物

樓闕 車馬 人物
畫像磚背面拓片

西王母　九尾狐　東王公乘龍畫像磚

東漢

河南鄭州市出土。

高42、寬24厘米。

畫像內容爲西王母、九尾狐與三足烏、鶴叼蛙、鬥雞、
鬥熊、仙人乘龍和持棨戟佩劍門吏等。

現藏河南省文物考古研究所。

鬥虎　輅車出行　騎射畫像磚（右圖）

東漢

河南鄭州市出土。

高82、寬24厘米。

畫像內容爲鬥虎、輅車出行和騎馬射虎等。

現藏河南省文物考古研究所。

鋪首 門吏 建鼓舞畫像磚

東漢

河南鄭州市出土。

畫面分三層。上層爲白虎；中層中爲鋪首銜環，兩邊各爲二持棨戟門吏；下層中爲建鼓舞，左爲騎射，右爲弩射。此圖爲局部。

現藏河南博物院。

山林禽獸畫像磚

東漢

河南鄭州市出土。

高18.4、寬54厘米。

畫面山林起伏，禽獸穿行其間，虎、鹿和大雁共處。

現藏河南省文物考古研究所。

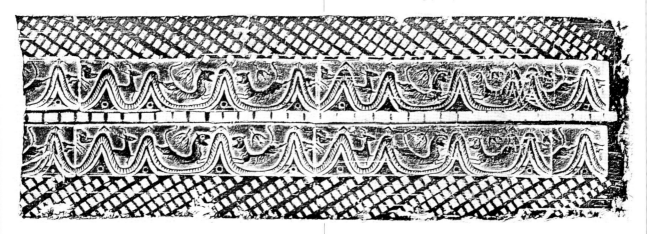

東漢（公元二五年至公元二二○年）

執斧武士畫像磚

東漢

河南新鄭市出土。

高129、寬23厘米。

武士均豎髮暴目，上着短襦，下穿虎皮裙，執斧而立。

現藏河南省文物考古研究所。

雙闕　兕虎鬥畫像磚

東漢

河南新密市出土。

高100、寬46厘米。

畫像內容為雙闕、持戟小吏、兕虎鬥、鋪首銜環和蟬等。

現藏河南省新密市博物館。

蒼龍　材官蹶張　執盾小吏畫像磚

東漢

河南新密市出土。

畫面從上至下依次爲蒼龍、材官蹶張、輜車出行、猪虎
相鬥和執盾小吏。此圖爲局部。

現藏河南省新密市博物館。

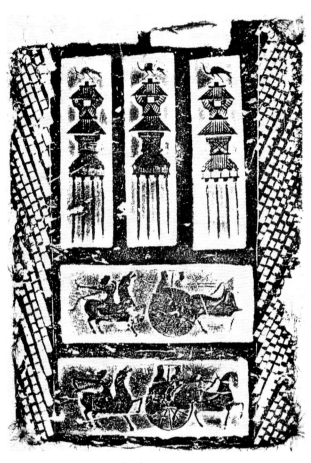

鳳闕　車騎出行畫像磚

東漢

河南新密市出土。

高37、寬26厘米。

畫面分三層。上層爲三座鳳闕，中下層爲車騎出行。

現藏河南省新密巾博物館。

牛虎鬥畫像磚

東漢

河南新野縣樊集出土。

高41、寬100厘米。

畫面左右各有一闕，兩闕之間，有一牛與一白虎相鬥。牛上有一舞蹈狀方相氏，牛虎之間有一蟾蜍。

現藏河南省新野縣漢畫像磚博物館。

平索戲車　車騎出行畫像磚

東漢

河南新野縣樊集出土。

高35、寬105厘米。

畫面中部爲車騎過橋圖，左部爲平索戲車場面。平索戲車表現的"車橦"是漢代雜技中難度最大的大型節目。

現藏河南博物院。

東漢（公元二二五年至公元二二〇年）

泗水撈鼎畫像磚（上圖）

東漢

河南新野縣樊集出土。

高34.5、寬120厘米。

畫面中部爲泗水撈鼎和建鼓舞，兩側爲車馬人物和鳳
闕圖。

現藏河南省南陽市文物研究所。

胡漢戰爭畫像磚

東漢
河南新野縣樊集出土。
高32.5、寬122厘米。
畫面左側爲突兀的的山峰，山巔上三人，一人執棒踞坐，似是戰爭的指揮者，一武士鬚髮怒張，執杖交腿

而坐，一蹶張正用足開弓。山間有疾奔的戰馬五匹。山坡上一隊胡兵，皆張弓勁射。山前戰馬奔馳，有控弦遠射者，有提首級回陣者，還有驅趕戰俘者。右邊一體形高大者立于臺上，正欲抽劍。其前有四顆首級和四個拜謁者。
現藏河南博物院。

鳳鳥 執盾門吏
畫像磚
東漢
河南新野縣樊集出土。
高113、寬20厘米。
畫面上部爲一銜珠鳳
鳥，中部爲一戴冠着深
衣門吏執盾站立，下部
爲一長尾异獸。
現藏河南省新野縣漢畫
像磚博物館。

鳳鳥 門吏 吠犬
畫像磚
東漢
河南新野縣樊集出土。
高111、寬20厘米。
畫面上部爲一鳳鳥；中
部爲一執槊戟門吏；下
部爲一犬，頸繫鐵鏈，
張口竪耳。
現藏河南省新野縣漢畫
像磚博物館。

樓閣 門吏畫像磚

東漢

河南新野縣樊集出土。

高63、寬23.5厘米。

畫面上部爲樓閣，閣下兩隻鼠，一鼠爬行，一鼠直立；下部一武士，高髻，額頭布滿皺紋，面目狰獰。

現藏河南省新野縣漢畫像磚博物館。

射鳥 西王母 駟馬安車畫像磚

東漢

河南新野縣樊集出土。

高112、寬25厘米。

畫面上部爲射鳥圖；中部爲西王母戴勝跽坐，一羽人持盤跪於其前服侍，一玉兔搗藥，下爲一虎、一熊和一鳳鳥作舞蹈狀；下部爲一輛駟馬安車穿過闕門。

現藏河南省新野縣漢畫像磚博物館。

胡人畫像磚

東漢

河南新野縣樊集出土。

高40、寬39厘米。

胡人頭戴尖頂帽，深目高鼻，虬髯連鬢，着長袍，雙手握一袋狀物。

現藏河南省新野縣漢畫像磚博物館。

侍女畫像磚

東漢

河南新野縣後崗出土。

高39.6、寬40厘米。

畫中三位侍女，頭飾環形髮髻，雙手交叉于胸，長身細腰，姿態優美。

現藏河南省新野縣漢畫像磚博物館。

七盤舞畫像磚

東漢

河南新野縣後崗出土。

高40、寬39厘米。

畫面左側一女伎，長袖束腰，足下六盤一鼓，翩翩起
舞；右側一男優單腿跪地，伸雙臂與女伎對視。

現藏河南博物院。

樂伎畫像磚

東漢

河南新野縣後崗出土。

高40、寬39厘米。

畫面中三位樂伎長跽于地，右一人彈琴，中間樂伎作鼓掌狀，其前置一琴，左一男伎吹簫，簫上飾羽葆。樂伎前面置三耳杯和一酒樽。

現藏河南博物院。

建鼓舞畫像磚

東漢

河南新野縣張樓村出土。

高31、寬74厘米。

畫面左側爲一建鼓，鼓兩側各有一人擊鼓；右側爲四樂
伎，上三人一手持排簫吹奏，一手搖鼗，下一人吹塤。

現藏河南博物院。

仙人六博畫像磚

東漢

河南新野縣張樓村出土。

高32、寬60厘米。

畫面爲二蓬髮仙人，跽坐六博。另有一仙人雙手執物立
于右，一仙人牽飛馬作後拽狀。

現藏河南省新野縣漢畫像磚博物館。

東漢（公元二五年至公元二二○年）

應龍 翼虎畫像磚（上圖）

東漢

河南新野縣張樓村出土。

高18、寬74厘米。

畫面中部懸一玉璧，璧下繫彩帶，璧兩側分別爲翼虎和
應龍。

現藏河南省新野縣
漢畫像磚博物館。

戲車畫像磚

東漢

河南新野縣李湖村
出土。

高32、寬54厘米。

畫面爲兩戲車，車
上立橦。前面戲車
杆端橫木上倒挂一
人，兩臂平伸，掌
心置球，托兩人。
後面戲車杆頂蹲一
人，與前戲車輿內
之人共挽一索，一
人在索上表演。畫
面右上爲一人騎馬
引弓回射。

現藏河南博物院。

伏羲　女媧　玄武畫像磚
東漢

河南新野縣李湖村出土。

高110、寬22.5厘米。

畫面上部爲方相氏和蟾蜍；中上爲人首蛇身的伏羲和
女媧，尾纏一玄武；中下爲神荼牽虎；下爲渾身是猬毛
的牛，應是窮奇。

現藏河南省新野縣漢畫像磚博物館。

東漢（公元二五年至公元二二〇年）

仙人乘虎畫像磚

東漢

河南新野縣下青羊村
出土。

高34、寬110厘米。

畫面左側一人着長
袍，袒胸作奔撲狀。
右側一人着長袍，前
弓步，徒手搏擊。中
間一仙人，體小如
鳥，馭虎飛騰。一牛
奮力前衝。牛、虎上
方有奔鹿和飛翔的
鳥。牛尾端有"大
路"二字。

現藏河南省新野縣漢
畫像磚博物館。

二龍穿璧　仙人
畫像磚

東漢

河南新野縣出土。

高34、寬111厘米。

畫面中間爲二龍穿璧，
左側爲一仙人持仙草和
一虎，右側爲舞蹈狀方
相氏和一牛。

現藏河南省南陽市文物
研究所。

【 畫 像 磚 】

鳳闕　門吏　武士畫像磚

東漢

河南新野縣出土。

高115、寬25厘米。

畫面上部爲一座四阿頂鳳闕；中部爲三門吏，下方有一人牽一馬；下部爲一武士，握斧而立。

現藏河南省新野縣漢畫像磚博物館。

樂舞稽戲畫像磚

東漢

河南新野縣出土。

高34、寬121厘米。

畫面左部爲一座高大的廳堂，堂内爲拜謁和樂舞等場面；右部上層爲一軿車，車前一方相氏戲舞，右邊二人執笏迎接；右部下層爲一獨角獸，獸右爲二武士。

現藏河南省新野縣漢畫像磚博物館。

格鬥畫像磚

東漢

河南鄧州市祁營出土。

高40、寬97.5厘米。

圖中一武士穿鎧甲，佩劍，右弓步，出兩掌，與兩側武士格鬥，左側武士劍已脱手，鞋已甩落。畫面中飾壁虎、蝎、鳳鳥、龍等。

現藏河南省南陽市文物研究所。

東漢（公元二五年至公元二二〇年）

朱雀 執矟門吏畫像磚

東漢

河南鄧州市出土。

高126、寬23厘米。

畫面上部爲一展翅朱雀，下部爲一執矟門吏，頭戴武冠，冠邊插羽毛，束帶佩長劍。

現藏河南省南陽市文物研究所。

朱雀 執矟門吏畫像磚實物

朱雀 執矟門吏畫像磚拓片

車馬 人物 樓闕畫像磚

東漢

河南唐河縣新店出土。

高41、寬89厘米。

畫面左上角爲一駕車馬，車馬下方爲一騎吏；中部兩門闕間立一人；右部樓閣內有兩人對坐。

現藏河南博物院。

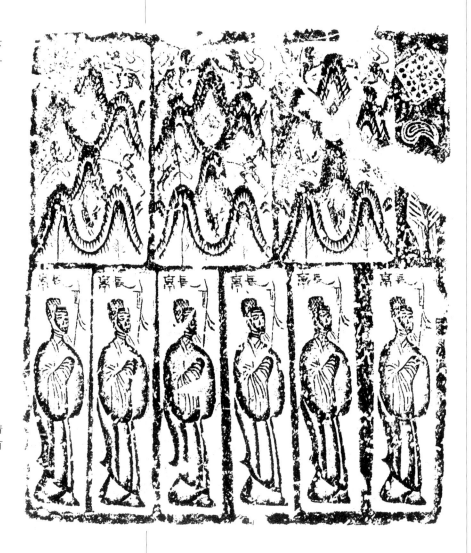

狩獵 亭長畫像磚

東漢

河南淅川縣高莊出土。

高39、寬34.5厘米。

畫面上部模印狩獵圖和長青樹；下部以同模印出六人，戴冠，着深袖長袍，執戟側立，頭上部有"亭長"二字。

燕王畫像磚

東漢

河南禹州市出土。

高7、寬23厘米。

畫面上三人頭戴冠，身着斜襟長衣，踞坐于地，從右至左榜題爲"燕王"、"王相"及"將軍"。

獵虎畫像磚

東漢

河南禹州市出土。

高6.4、寬23厘米。

圖中有一隻虎，昂首直尾，斑紋清晰，奔騰前撲，面部中一矢。前有一騎手操弓射虎，虎後兩人驚恐失態，跌倒在地，遠處一人張惶疾走。

東漢（公元二五年至公元二二〇年）

雙鳳闕畫像磚
東漢
河南禹州市出土。
高19、寬19厘米。
畫面正中有一常青樹，兩側對置鳳闕，鳳闕頂爲四層重檐四阿頂，其上有展翅欲飛的鳳鳥。

三魚紋畫像磚
東漢
河南舞陽縣出土。
高11、寬16厘米。
畫面左部爲上下排列的三尾鯉魚，右部爲方格和變形的"工"紋圖案。

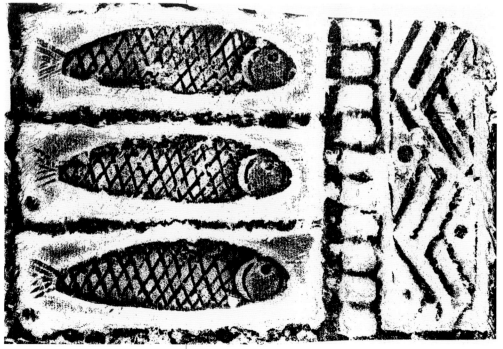

習武畫像磚

東漢

高34.7厘米。

磚面四周修飾八隻孔雀。中心分成三層九格，上層爲騎
馬射獵武士，中層爲二人習武，下層爲驅鬼怪獸。

現藏加拿大多倫多市皇家安大略博物館。

軺車畫像磚

東漢

四川成都市曾家包漢墓出土。

高40、寬48厘米。

車中一御者一乘者，車兩旁跟隨徒步衛士，還有一人推
獨輪車隨行。

現藏四川省成都市博物館。

容車侍從畫像磚
東漢
四川成都市曾家包漢墓出土。
高39.5、寬48厘米。
圖中一直轅大車，篾
篷蓋頂，車內左爲御
者，右爲一婦人，車
旁一馬夫，扶轅前
進。車後還有兩人夾
轂而行。
現藏四川省成都市博
物館。

輅車驂駕畫像磚
東漢
四川成都市羊子山
出土。
高38.5、寬45.6
厘米。
畫面爲三馬一車，
車有篷，表現了車
馬出行的場面。
現藏重慶市博物館。

宅院畫像磚

東漢

四川成都市羊子山出土。

高40、寬46.4厘米。

庭院高牆環繞，樓舍齊備，井厨俱全。內院有鬥鷄和雙
鶴對舞。屋內堂上有賓主對飲，院中有一高聳的望樓。
現藏中國國家博物館。

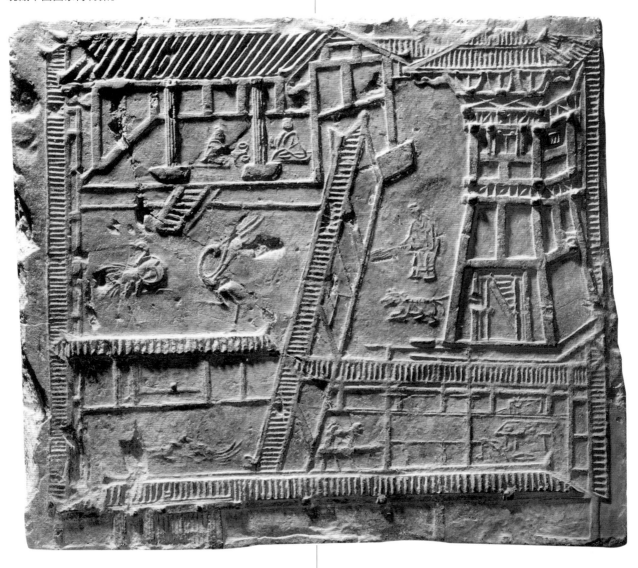

弋射收獲畫像磚

東漢

四川成都市羊子山出土。

高36、寬42厘米。

畫面上層爲弋射，下層爲收獲。下層中間三人彎腰割
稻，前面兩人刈稻草，後面一人肩挑稻穗。

現藏四川省成都市博物館。

軺車畫像磚

東漢

四川成都市羊子山出土。

高39、寬46.5厘米。

御者正駕車右向奔馳，主人持便面端坐于內，篷形車蓋前側後捲，表現了車行之速。車旁一持戟步卒隨車奔行，車後一人跪地送行。

現藏四川省成都市博物館。

觀伎畫像磚

東漢

四川成都市羊子山出土。

高40、寬48厘米。

畫面左側主人正坐在榻上觀看表演，兩側有三人持樂器演奏。右側上部二人分別表演跳丸和舞劍耍瓶，下部一男子持鼗鼓，一女子舞蹈。

現藏四川博物院。

鹽井畫像磚

東漢

四川成都市羊子山出土。

高41.2、寬46.5厘米。

畫面用浮雕簡略表示山巒。山上有珍禽异獸。左下部爲
鹽井，井上架有高大的井架，分兩層，四個鹽工通過一
轆轤汲滷。右下角山前有一煮鹽竈，竈旁有鹽工。

現藏四川博物院。

騎吏畫像磚

東漢

四川成都市羊子山出土。

高39、寬46厘米。

畫面表現六騎吏吹奏行進的儀仗場景。

現藏四川博物院。

東漢（公元二五年至公元二二〇年）

宴樂畫像磚
東漢
四川成都市昭覺寺漢墓出土。
高43.5、寬48厘米。
畫面中有六人、二案、酒樽和
杯盤等物。上方一男一女共
席，觀賞樂舞；一人撫琴，一
人作靜聽狀。下方一人翩翩起
舞，一人擊鼓爲節。
現藏四川博物院。

庖厨畫像磚
東漢
四川成都市出土。
高41.5、寬42.5厘米。
畫面表現僕人在厨房準備膳食
的場景。
現藏四川博物院。

單闕畫像磚

東漢

四川成都市收集。

高40、寬47.2厘米。

畫面中央建有四阿式頂重檐單闕一座，頂檐兩側各懸一
小猴。闕兩旁各立一人，分別執棨戟和捧盾。

現藏四川博物院。

斧車畫像磚

東漢

四川成都市出土。

高40、寬47厘米。

畫面中央一匹駿馬駕一輛斧車飛速前進，車上竪一斧，
兩側斜插棨戟。兩步卒跑步緊緊跟隨。

現藏四川博物院。

軺車侍從畫像磚

東漢

四川成都市出土。

高39、寬48厘米。

畫面表現軺車疾馳，侍從緊隨的出行場景。

現藏四川博物院。

車馬過橋畫像磚
東漢
四川成都市跳蹬河漢墓出土。
高41、寬47.3厘米。
畫面上兩匹駿馬駕一輛四維有蓋軺車奔馳過橋。橋爲木
構梁柱式平板橋，兩側有欄杆，橋下架四排木柱，每排
四根，柱上橫架眉梁，其上鋪木板。
現藏四川博物院。

市井畫像磚

東漢

四川成都市青白江區收集。

高40.5、寬47.5厘米。

市井三邊建有圍墙，稱爲"闠"。市門内有隸書"東市門"、"北市門"字樣。市井分四列肆，中央建有五脊重檐市樓一座，當爲管理市井的官署。

現藏四川博物院。

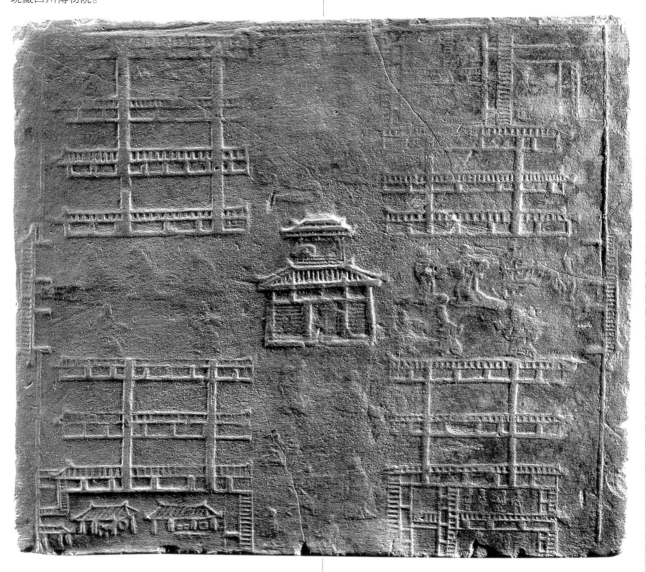

西王母畫像磚
東漢
四川成都市青白江區1號
墓出土。
高40.3、寬45.5厘米。
西王母束髮戴勝，身穿
長裙，攏袖坐于龍虎座
上，周圍雲氣繚繞，有
九尾狐、玉兔和蟾蜍等
圍繞其周圍。
現藏四川博物院。

西王母畫像磚實物

西王母畫像磚拓片

傳經講學畫像磚

東漢

四川成都市青杠坡出土。

高40、寬45厘米。

畫面左側一尊者端坐榻上講
經，兩側弟子跪坐恭聽。

現藏重慶市博物館。

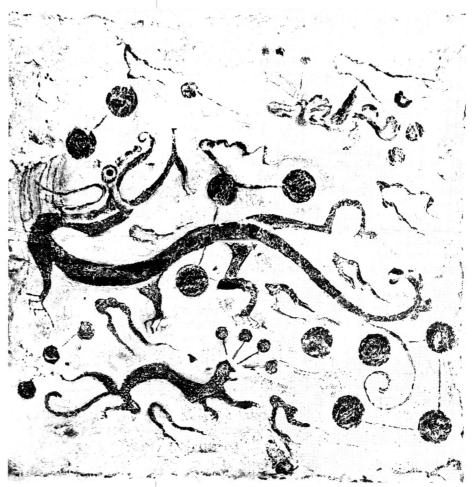

龍鳳星宿畫像磚

東漢

四川成都市出土。

高44、寬45厘米。

畫面由龍、鳳、星宿及雲氣
紋構成。

現藏四川博物院。

輜車畫像磚
東漢
四川成都市出土。
高42.5、寬46.5厘米。
畫面右側一輜車右向前
行，車內有御者和乘者，
車後有一騎吏相隨。
現藏四川博物院。

輜車驂駕畫像磚
東漢
四川成都市出土。
高41、寬45.8厘米。
畫面頂部飾勾連雲紋，
下部爲輜車出行圖。
現藏四川博物院。

軒車畫像磚

東漢

四川成都市新都區馬家鎮出土。

高33.5、寬41.5厘米。

畫面中央三匹駿馬駕一輛軒車飛速前進，車頂有蓋，挂
菱形格幡。

現藏四川博物院。

駱駝畫像磚

東漢

四川成都市新都區馬家鎮出土。

高33.5、寬41.5厘米。

圖中駱駝昂首張口，邁步前行，兩峰間佩鞍，鞍上立一鼓，鼓上裝飾巨大的流蘇向兩側垂下。前峰上跪坐一人，作擊鼓狀。

現藏四川博物院。

釀酒畫像磚（上圖）

東漢

四川成都市新都區馬家鎮出土。

高28、寬50厘米。

圖中屋內壘竈，竈上置大釜，一人伸手在釜內攪拌；竈
前放酒瓮，一女子買酒；屋外一人擔酒，一人推酒車。

現藏四川博物院。

撈鼎畫像磚

東漢

四川成都市新都區利濟鎮徵集。

高26、寬43厘米。

畫面中央爲一大鼎，鼎蓋上繫繩，左右二人通過上部滑
輪牽繩拉鼎。表現的應是“泗水撈鼎”歷史故事。

現藏四川省成都市新都區文物管理所。

桑園畫像磚（上圖）

東漢

四川成都市新都區出土。

高24、寬43厘米。

畫面左下一人物持杆立于屋前，應爲桑園的看護者。

現藏四川博物院。

月神畫像磚

東漢

四川成都市新都區出土。

高28.5、寬49厘米。

畫面爲一人首鳥身月神形象，其腹部爲一月輪，中有蟾蜍和桂樹。

現藏四川省成都市新都區文物管理所。

**薅秧 收割
畫像磚**
東漢
四川成都市新都區
出土。
高33、寬40厘米。
畫面分左右兩欄。
左欄爲薅秧場景，
右欄爲收割圖。
現藏四川博物院。

男女和合雙修畫像磚
東漢
四川成都市新都區出土。
高29、寬49.5厘米。

男女在桑園中交合，男子身後有一小人助力，樹後另一
男子正在等候，四人均裸體，衣服挂于桑樹之上。整個
畫面表現的應是五斗米教教徒男女雙修的場景。
現藏四川博物院。

東漢（公元二五年至公元二二〇年）

車馬過橋畫像磚（上圖）
東漢
四川成都市新都區出土。
高29、寬49厘米。
圖中一輛軺車疾馳于橋上，車上一御者和一官吏，車後
一侍者隨行。
現藏四川省成都市新都區文物管理所。

市集畫像磚
東漢
四川成都市新都區出土。
高28、寬49厘米。
畫面左、右上角刻有"北市門"、"南市門"等榜題。
現藏四川省成都市新都區文物管理所。

舞樂畫像磚（上圖）

東漢

四川成都市新都區出土。

高28.5、寬48.5厘米。

畫面右側兩人席地而坐，其中一人揮弦鼓瑟；左側兩人拂袖起舞。

現藏四川省成都市新都區文物管理所。

伍伯迎謁畫像磚（下圖）

東漢

四川郫縣出土。

高24、寬39厘米。

畫面右側四名伍伯執戟矛開道，中間兩名騎吏相隨，左側兩名小吏拱手迎候。

現藏四川博物院。

東漢（公元二五年至公元二二〇年）

四騎吏畫像磚
東漢
四川大邑縣安仁鎮出土。
高40、寬46厘米。
圖中騎吏頭著幘，腰佩弓箭，手持棨戟。馬剪鬃扎尾，
頭有彩飾。
現藏四川博物院。

輺馬出行

東漢

四川大邑縣安仁鎮出土。

高39、寬44.5厘米。

畫面中央一匹駿馬駕一輛輺車。車前左右兩側爲導騎，
左騎持幢麾，右騎執棨戟。車右側一步卒手執棨戟緊緊
跟隨。

現藏四川博物院。

宴飲畫像磚

東漢

四川大邑縣安仁鎮出土。

高39.2、寬44.4厘米。

圖中七人宴飲，三方設席，席間各置案和樽等。

現藏四川博物院。

鳳闕畫像磚

東漢

四川大邑縣安仁鎮出土。

高38、寬44厘米。

圖中主闕重檐，兩側有子闕，中間以橋形屋樓相連接，
構成門楣。樓脊上側立一隻鳳鳥。

現藏四川博物院。

東漢（公元二五年至公元二二〇年）

鹽井畫像磚
東漢
四川邛崍市出土。
高36、寬46厘米。
畫面表現制鹽的過程，有
井架、砍柴、汲滷和熬鹽
等内容。
現藏四川博物院。

日神畫像磚
東漢
四川邛崍市花牌坊出土。
高30、寬38.5厘米。
圖中爲人首鳥身日神，腹
部爲日輪，日輪中有金
鳥，日神周圍綴以七星。
現藏四川博物院。

庖厨畫像磚（上圖）
東漢
四川彭州市三界鎮收集。
高25.8、寬43.7厘米。
圖中廚房爲四阿式屋頂，屋内三人正在準備膳食。
現藏四川博物院。

荷塘 漁獵畫像磚
東漢
四川彭州市三界鎮收集。
高26、寬45厘米。
圖中蓮塘内荷葉片片，兩隻小船穿行其間；岸邊樹下一
人張弓射鳥。
現藏四川博物院。

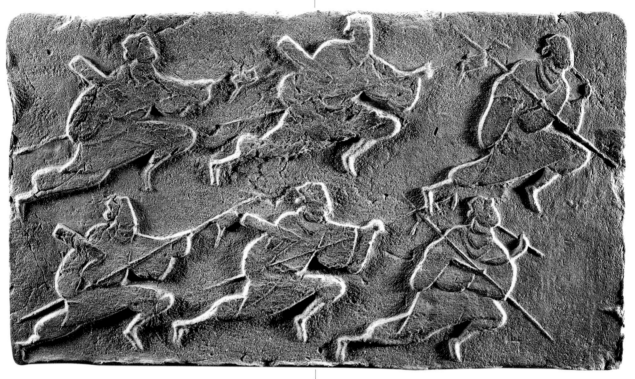

伍伯畫像磚（上圖）

東漢

四川彭州市三界鎮收集。

高25.7、寬44厘米。

圖中六人均頭戴幘，短衣束帶。前面兩人荷長矛，口中吹管。後面四人均右手執棒，左手持棨戟。

現藏四川博物院。

月神畫像磚

東漢

四川彭州市三界鎮收集。

高25.3、寬44.5厘米。

畫面爲一人首鳥身月神。頭梳髮髻，頸部長有長長的仙羽，腹部圓輪表示月亮，内有一株桂樹和一隻蟾蜍。周圍有三顆帶芒閃亮的星星。

現藏四川博物院。

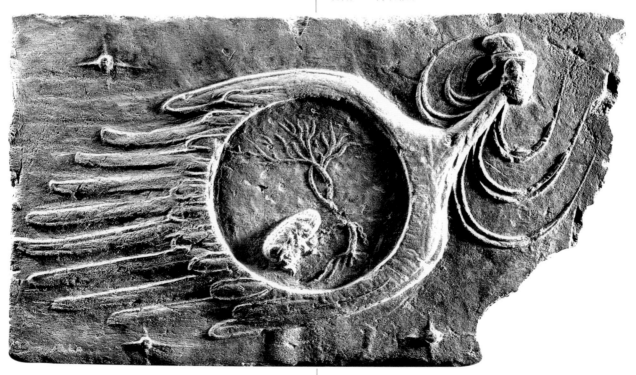

四維軺車畫像磚（上圖）

東漢
四川彭州市三界鎮收集。
高25、寬44厘米。
畫面右部爲一乘四維軺車，車内一御者和一官吏，車前
有兩名跪拜迎謁者。
現藏四川博物院。

庖厨畫像磚

東漢
四川彭州市九尺鎮收集。
高25、寬44厘米。
圖中三人正在做飯。右邊一人跪在三脚架支起的釜前，
持扇搧火；左邊兩人跽坐于案後，架上挂猪肝和猪腿
肘，似在準備菜肴；後方厨架上置碗、盤等餐具。
現藏四川博物院。

騎鹿升仙畫像磚

東漢

四川彭州市九尺鎮收集。

高25.5、寬45厘米。

畫面一女子，頭梳雙髻，着寬袖長服，騎于鹿背上。後面一赤身裸體、腰束羽裙的仙人，手中托着盛有數粒丹丸的盤子。兩人中間長有一株仙草。

現藏四川博物院。

騎鹿升仙畫像磚實物

騎鹿升仙畫像磚拓片

養老畫像磚（上圖）

東漢

四川彭州市太平鄉出土。

高28、寬47厘米。

畫面臺基之上爲一倉房，臺基左側一吏坐于席上，右側一持鳩杖老人手捧容器，雙膝跪地，正接受小吏分配的養老糧食。

現藏四川博物院。

盤舞雜技畫像磚

東漢

四川彭州市太平鄉出土。

高28、寬47厘米。

畫面左邊一頭梳雙髻的少女，正在十二層的高臺上倒立；右邊一肥胖男子作跳丸表演；中間一舞伎手持長巾，裙帶飄拂，正表演盤舞。

現藏四川博物院。

建鼓畫像磚（上圖）

東漢

四川彭州市太平鄉出土。

高28.5、寬48厘米。

門廳旁立一大鼓，一戴冠着長裙女子執枹擊鼓。

現藏四川博物院。

日神畫像磚

東漢

四川彭州市太平鄉出土。

高28.5、寬47.2厘米。

圖中爲人首鳥身日神，腹部爲日輪，日輪中有金烏。

現藏四川博物院。

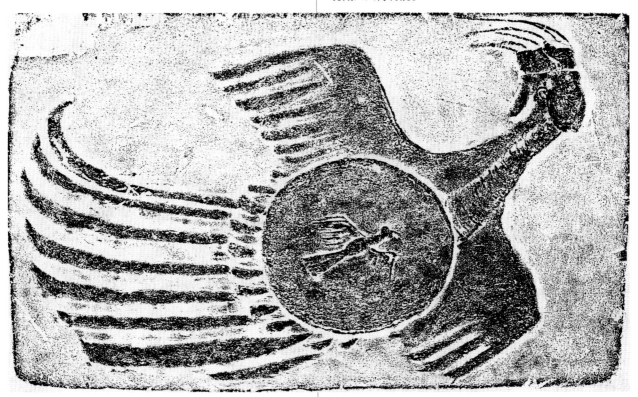

斧車畫像磚
東漢
四川彭州市太平鄉出土。
高28.5、寬48厘米。
畫面爲一急奔的馬車，車上一御者、一官吏，車中竪一
斧，車後斜插二矛。
現藏四川博物院。

斧車畫像磚實物

斧車畫像磚拓片

酒肆畫像磚（上圖）

東漢

四川彭州市升平鎮收集。

高25.3、殘寬42.5厘米。

畫面中有買酒者、沽酒者和販酒者等。

現藏四川博物院。

戲鹿畫像磚

東漢

四川彭州市義和鄉出土。

高25、寬44厘米。

畫面左側一人戴冠結髻，着寬袖長裙騎于鹿上。鹿前一女子頭綰髮髻，右手持花，左手執鈴，作逗鹿狀。

現藏四川省成都市新都區文物管理所。

伏羲 女媧 雙龍畫像磚
東漢
四川彭州市碗廠崖墓出土。
高45、寬37.5厘米。
畫面上層有伏羲女媧交尾及雙闕；下
層爲交尾雙龍圖。磚面邊緣飾以斜格
紋和菱形紋。
現藏四川博物院。

舂米畫像磚
東漢
四川彭州市出土。
高25、寬39厘米。
畫面表現四人舂米的場景。兩人站在
脚踏碓上，另一人操作，一人扛桶。
現藏中國國家博物館。

西王母及導車畫像磚（上圖）

東漢

四川彭州市收集。

高27.8、寬44.2厘米。

畫面右側西王母束髮戴勝，身披羽衣，坐于龍虎座上，其下有九尾狐、金翅鳥和搗藥玉兔；左側爲騎吏和輅車出行圖。

現藏四川博物院。

二騎吏畫像磚

東漢

四川彭州市出土。

高28、寬48厘米。

圖中二人戴冠着袍，右手執幢麾斜負于肩，左手執轡頭，騎馬行進。

現藏四川博物院。

拜謁畫像磚（上圖）

東漢

四川廣漢市磚廠出土。

高25、殘寬37.5厘米。

圖中迴廊下坐一長者，頭戴進賢冠，身穿廣袖長袍，正在接受拜謁。四人手中持笏，拱手跪拜。

現藏四川博物院。

市井畫像磚

東漢

四川廣漢市周村出土。

高28、寬48厘米。

畫面表現"市"內商肆的布局和交易情況。榜題有"東市門"及"市樓"。

現藏四川博物院。

二武士畫像磚（上圖）

東漢

四川廣漢市新平鎮出土。

高25、寬40厘米。

圖中左側武士身佩長劍，手持兵器；右側武士一手執
刀，一手提拿一被捆綁之人。

現藏四川博物院。

習射畫像磚

東漢

四川德陽市柏隆鎮出土。

高24、寬39厘米。

圖中左側人物躬身，右手持弓，左手搭箭；右側人物正
面而立，右手持弓，左手搭箭。

現藏四川博物院。

四騎吏畫像磚（上圖）

東漢

四川德陽市柏隆鎮出土。

高24、寬39厘米。

畫面刻四名騎吏，均手持棨戟。

現藏四川博物院。

播種畫像磚

東漢

四川德陽市柏隆鎮出土。

高24、寬38厘米。

圖中六人在田間勞作，前四人雙手執刈鈎，向後高舉，

後二人播種。

現藏四川博物院。

恩愛畫像磚（上圖）

東漢

四川德陽市出土。

高24、寬39厘米。

圖中男女主人相偎而座，男子輕撫女子下頜，作恩愛調
情狀。兩旁各有一侍者打扇侍奉。

現藏四川博物院。

男女雙修畫像磚

東漢

四川德陽市出土。

圖中爲一對男女正在帷幔之下交歡，表現的應是五斗米
教教徒男女雙修的場景。

現藏重慶市博物館。

日神月神畫像磚

東漢

四川崇州市收集。

高39.2、寬47.9厘米。

畫面左側爲日神羲和，戴帝
王冠，左手持規，右手擎日，
日中一金烏；右側爲月神常羲，
頭梳雙髻，右手執矩，左手擎月，
月中有桂樹和蟾蜍。

現藏四川博物院。

奔馬畫像磚

東漢

安徽亳州市董園村1
號墓出土。

磚部分殘，畫面爲一
揚蹄奔跑的駿馬。

現藏安徽省亳州市博
物館。

東漢（公元二二五年至公元二二〇年）

仙人畫像磚

東漢

青海平安縣漢墓出土。
高17、寬20厘米。
畫面爲一肩披長帶的仙
人，仙人右上方爲一輪
朝日，日中隱現一金
鳥。仙人左臂向上伸
展，手托半月。
現藏青海省文物考古研
究所。

人物畫像磚

東漢

青海平安縣漢墓出土。
高17、寬20厘米。
畫面爲一起脊建築，内
置一榻，榻中間放一小
几，兩人隔几對坐。榻
後擺放花瓶，榻前立一
矮人，手捧細頸小瓶，
應爲侍者。
現藏青海省文物考古研
究所。

力士畫像磚
東漢
青海平安縣漢墓出土。
高18、寬20厘米。
圖中力士面寬耳闊，曲臂上舉，雙腿下蹲，四肢短粗，肌肉結實。
現藏青海省文物考古研究所。

騎馬武士畫像磚
東漢
青海平安縣漢墓出土。
高17、寬20厘米。
圖中武士身着鎧甲，腰佩戰刀，躍馬提繮前行。
現藏青海省文物考古研究所。

東漢（公元二五年至公元二二〇年）

騎馬武士畫像磚
東漢
青海平安縣漢墓出土。
高17、寬20厘米。
圖中騎士身着鎧甲，手執長矛，躍馬前行。
現藏青海省文物考古研究所。

雙雀畫像磚
東漢
青海平安縣漢墓出土。
高17、寬20厘米。
圖中雙雀口內含珠，展翅相對。
現藏青海省文物考古研究所。

西王母畫像磚（上圖）

三國·蜀

四川大邑縣出土。

高38、寬53厘米。

畫面上部中央爲西王母，端坐于龍虎座上。兩旁侍女有羽翼，分別手持靈芝和嘉禾。下部刻有仙鹿、手持三珠樹的跪地仙人、蟾蜍、九尾狐和玉兔搗藥等。

現藏四川省大邑縣文物保護管理所。

天倉畫像磚

三國·蜀

四川大邑縣出土。

高38、寬53厘米。

圖中右下爲一重檐四阿頂倉房，倉房上有一鳥翔舞。倉旁人物高大，頭戴冠，身佩劍，雙手捧盾，應是守衛天倉的亭長。

現藏四川省大邑縣文物保護管理所。

三
國
兩
晋
南
北
朝
（
公
元
二
二
〇
年
至
公
元
五
八
九
年
）

出行 白虎畫像磚（上圖）

三國·蜀
四川大邑縣出土。
高45、寬52厘米。

圖中上部爲出行塲面，前面有騎吏和伍伯，主人坐于軺車內。圖下部爲白虎。
現藏四川省大邑縣文物保護管理所。

六博 百戲畫像磚

三國·蜀
四川大邑縣出土。
高38、寬53厘米。
圖中上部二人博弈，
二人身後有侍者；下
部爲跳丸、盤舞和頂
罐等樂舞百戲。
現藏四川省大邑縣文
物保護管理所。

青龍畫像磚
魏晋
山東臨沂市金雀山出土。
高16、寬32厘米。
圖中青龍昂頭張口，齒外露，前身屈曲向下，左前肢向
上，右前肢卧撐，後肢直立，肩有雙翼，腹有鱗甲。
現藏山東省臨沂市博物館。

白虎畫像磚
魏晋
山東臨沂市金雀山出土。
高16、寬32厘米。
圖中白虎回首瞪目，張口咆哮，背生雙翼，尾上捲。
現藏山東省臨沂市博物館。

玄武畫像磚
魏晉
山東臨沂市金雀山出土。
高16、寬32厘米。
圖中蛇身纏繞龜身，蛇尾從龜的胯下穿過向上翹起。龜頸前探爬行。
現藏山東省臨沂市博物館。

朱雀畫像磚
魏晉
山東臨沂市金雀山出土。
高16、寬32厘米。
圖中朱雀口銜瑞草，展翅作飛翔狀。
現藏山東省臨沂市博物館。

獅子畫像磚
魏晋
山東臨沂市金雀山出土。
高16、寬32厘米。
圖中獅子雙耳直立，嘴微張，髯鬣飄拂，尾巴如帚，巨
爪尖利。
現藏山東省臨沂市博物館。

花草畫像磚
魏晋
山東臨沂市金雀山出土。
高16、寬32厘米。
圖中花紋周圈飾三道凸紋，內飾相互對稱的花瓣。
現藏山東省臨沂市博物館。

人面紋畫像磚（上圖）

西晋

江蘇南京市蛇山西晋墓出土。

高16、寬32.5厘米。

畫面共四個人面，中間兩人面爲全貌，兩邊爲長方形半面臉，咧嘴露齒。

現藏江蘇省南京市博物館。

怪獸畫像磚

東晋

江蘇鎮江市農牧場出土。

高18、寬31.5厘米。

圖中怪獸爲虎首，虎首上繞一雙頭蛇。雙頭蛇頭爲人首，戴高冠。

現藏江蘇省鎮江博物館。

玄武畫像磚（上圖）

東晋

江蘇鎮江市農牧場出土。

高18、寬31.5厘米。

圖中龜作顧首狀，蛇盤繞龜身，龜蛇相視，兩側有榜題兩行，分別爲“晋隆安二年造之塚郭”和“顯（显）陽山子紆（孫）安壽萬年”。

現藏江蘇省鎮江博物館。

白虎畫像磚

東晋

江蘇鎮江市農牧場出土。

高18、寬31.5厘米。

圖中虎身彎曲，修長，向後作盤繞之狀，兩邊飾流蘇紋。

現藏江蘇省鎮江博物館。

三國兩晉南北朝（公元二二〇年至公元五八九年）

人首鳥身畫像磚
東晉
江蘇鎮江市農牧場出土。
高18、寬31.5厘米。
怪獸人首鳥身，戴高冠，胸前有交叉的帶束，展翅。
現藏江蘇省鎮江博物館。

獸首人身怪獸畫像磚
東晉
江蘇鎮江市農牧場出土。
高18、寬31.5厘米。
怪獸獸首，雙角，雙尖耳，左手執鈎鑲，右手握環柄鐵刀。
現藏江蘇省鎮江博物館。

獸首噬蛇怪獸畫像磚
東晉
江蘇鎮江市農牧場出土。
高18、寬31.5厘米。
怪獸獸首似虎，獨腿獨脚，腿上
盤小蛇，張口竪耳，雙手持蛇，
口作噬蛇狀。
現藏江蘇省鎮江博物館。

"虎嘯山丘"畫像磚
東晉
江蘇南京市萬壽村東晉墓出土。
高14.6、寬13.6厘米。
畫面由三塊磚的端頭共同組成，
中間爲一隻蹲踞的虎，四角有
"虎嘯山丘"四字。
現藏江蘇省南京市博物館。

三國兩晋南北朝（公元二二○年至公元五八九年）

竹林七賢與榮啓期畫像磚

南朝

江蘇南京市西善橋南朝大墓出土。

高80、寬240厘米。

畫面分作兩段，砌于墓内主室兩壁。一壁爲向秀、劉伶、阮咸和榮啓期；另一壁爲嵇康、阮籍、山濤和王戎。綫條以鐵綫描爲主。

現藏南京博物院。

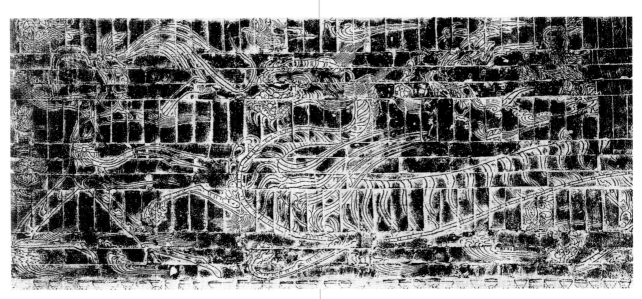

羽人引虎畫像磚

南朝

江蘇丹陽市胡橋仙塘灣齊景帝蕭道生修安陵出土。

高90、寬230厘米。

畫面左部爲羽人，中部和右部爲一翼虎，羽人引導翼
虎左向行進。

現藏南京博物院。

羽人戲龍畫像磚

南朝

江蘇丹陽市胡橋仙塘灣齊景帝蕭道生修安陵出土。

高90、寬230厘米。

羽人手執仙草回首引逗一龍。

現藏南京博物院。

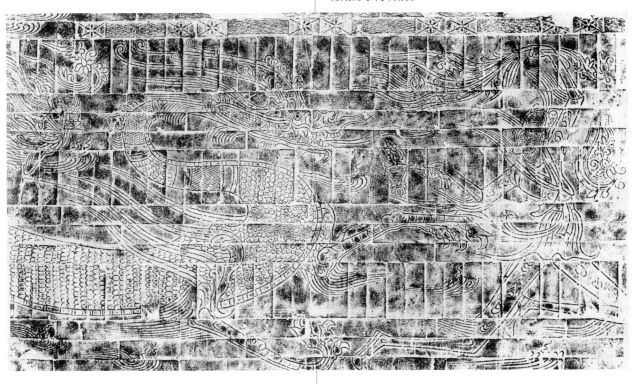

武士畫像磚（兩幅）
南朝
江蘇丹陽市建山金王陳村南朝佚名墓出土。
高79、寬31厘米。
武士目視前方，拄劍站立。
現藏江蘇省南京市博物館。

武士畫像磚之一

武士畫像磚之二

三國兩晉南北朝（公元二二〇年至公元五八九年）

獅子畫像磚

南朝

江蘇丹陽市建山金王陳村南朝佚名墓出土。

長113厘米。

畫面為一瞠目張口吐舌的臥獅，間飾瑞草。

現藏江蘇省南京市博物館。

羽人戲虎畫像磚

南朝

江蘇丹陽市建山金王陳村南朝佚名墓出土。

高94、寬240厘米。

羽人手執仙草回首戲逗一猛虎，猛虎昂首，作奔走狀。

現藏江蘇省南京市博物館。

騎馬鼓吹畫像磚（上圖）

南朝

江蘇丹陽市建山金王陳村南朝佚名墓出土。

長45厘米。

畫面表現騎馬左行的樂隊鼓吹行進的場景。

現藏江蘇省南京市博物館。

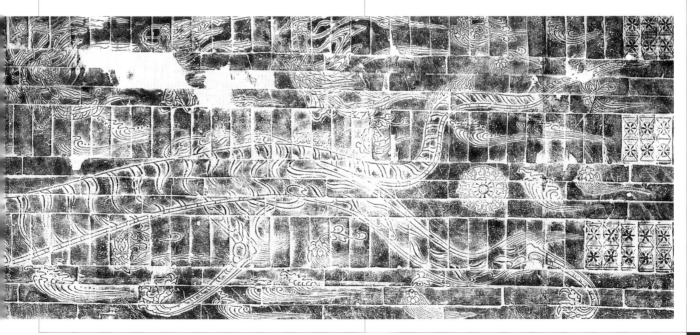

三國兩晋南北朝（公元二二〇年至公元五八九年）

侍從畫像磚

南朝

江蘇丹陽市建山金王陳村南朝佚名墓
出土。

高42、寬33厘米。

侍從分別執扇和華蓋站立。

現藏江蘇省南京市博物館。

羽人戲虎畫像磚

南朝

江蘇丹陽市胡橋寶山吳家村南朝佚名
陵出土。

高90、寬240厘米。

羽人一手執仙草，一手執長柄勺，引
逗一猛虎。

現藏南京博物院。

女侍 男侍畫像磚

南朝

江蘇南京市油坊橋墓出土。

左磚高16、長35.3、厚4.8厘米，中磚高16.1、長35.5、厚4.8厘米，右磚高16.1、長30.7、厚6.8厘米。三磚分別刻持蓮女侍、女侍和男侍。左磚女侍髮髻高聳，身着寬袖衣裙，手執蓮花。中磚女侍頭挽雙髻，身着寬袖衣裙，雙手攏于胸前。右磚男侍帕頭纏髮，身着長袍，雙手攏于胸前。

現藏江蘇省南京市博物館。

女侍 男侍畫像磚實物

女侍 男侍畫像磚拓片

侍女畫像磚

南朝

江蘇南京市六合樊集南朝墓出土。

高30、寬15厘米。

圖中侍女頭梳高髻，身着交領寬袖衣，下着多褶長裙。

現藏江蘇省南京市博物館。

蓮花紋磚

南朝

江蘇南京市萬壽村南朝墓出土。

高14.6、寬33.7厘米。

畫面中央爲蓮花，周緣環繞波浪紋，兩側飾雲龍紋。兩

端爲不對稱的纏枝紋。

現藏江蘇省南京市博物館。

蓮花紋畫像磚

南朝

江蘇南京市五塘村幕府山南朝墓出土。

高14.4、寬33.2厘米。

畫面爲兩組團狀蓮花紋，蓮花周緣飾捲草紋，四角有小草葉紋，兩組蓮花間以捲草纏枝紋相隔。

現藏江蘇省南京市博物館。

蓮花朱雀與獸首鳥身怪獸畫像磚

南朝

江蘇南京市鐵心鎮王家窪村南朝墓出土。

高14.2、寬33.1厘米。

畫面右側爲蓮花朱雀，朱雀展翅回首，左側一獸首鳥身怪獸，單足站立于一蓮花上。

現藏南京博物院。

侍女畫像磚

南朝

江蘇常州市戚家村出土。

高32.2、寬16.5厘米。

侍女頭梳雙髻，身着大袖短衫，長裙拽地，脚穿雲頭履。左手托博山爐，爐頂立朱雀；右臂上揚。

現藏江蘇省常州博物館。

儀衛畫像磚

南朝

江蘇常州市戚家村出土。

高32.2、寬16.5厘米。

儀衛髮髻上插一簪，身着寬袖交領長衫，内襯圓領衫，足蹬雲頭履。右手持儀刀，刀柄垂纓帶；左手抬于面前。

現藏江蘇省常州博物館。

白虎畫像磚

南朝

江蘇常州市戚家村出土。

每塊高134、寬35.2、厚16.5厘米。

畫面由七塊磚拼砌而成。虎張口露齒，細長頸，身體彎曲，尾端上揚。

現藏江蘇省常州博物館。

準備出行畫像磚

南朝

湖北襄樊市襄陽城西賈家冲出土。

高19、寬37.5厘米。

前面一人手執繮繩，隨後一人牽馬，馬後一人雙手執華蓋，最後一人執扇。

現藏湖北省襄樊市博物館。

[畫 像 磚]

三國兩晉南北朝（公元二二〇年至公元五八九年）

白虎畫像磚
南朝
湖北襄樊市襄陽城西賈家冲出土。
高19、寬37.5厘米。
虎身修長，昂首翹尾，呈奔馳狀。
現藏湖北省襄樊市博物館。

青龍畫像磚
南朝
湖北襄樊市襄陽城西賈家冲出土。
高19、寬37.5厘米。
龍身有鱗片，昂首翹尾，四足奔馳于雲氣間。
現藏湖北省襄樊市博物館。

三國兩晋南北朝（公元二二〇年至公元五八九年）

人首鳥身怪神畫像磚
南朝
湖北襄樊市襄陽城西賈家冲出土。
高19、寬37.5厘米。
怪神人首鳥身，展雙翅。
現藏湖北省襄樊市博物館。

朱雀畫像磚
南朝
湖北襄樊市襄陽城西賈家冲出土。
高19、寬37.5厘米。
朱雀昂首，展翅欲飛。
現藏湖北省襄樊市博物館。

怪獸畫像磚

南朝

湖北襄樊市襄陽城西賈家沖出土。

高19、寬37.5厘米。

怪獸獸頭，鳥翅，人身，蛙腿，形象凶惡。

現藏湖北省襄樊市博物館。

雙獅畫像磚

南朝

湖北襄樊市襄陽城西賈家沖出土。

高19、寬37.5厘米。

兩獅相對作蹲踞狀，一頭上昂，一頭回首。

現藏湖北省襄樊市博物館。

飛仙畫像磚

南朝

湖北襄樊市襄陽城西賈家沖出土。

高19、寬37.5厘米。

兩仙人相對呈蹲踞狀，手中捧香爐等物，仙人之間飾一含苞待放的蓮花于蓮座上。

現藏湖北省襄樊市博物館。

飲酒畫像磚

南朝

湖北襄樊市襄陽城西賈家沖出土。

高19、寬37.5厘米。

飲者居右，坐于榻上，右手執一樽前伸，侍者居左，作跪狀，雙手捧盤，旁飾花草樹木。

現藏湖北省襄樊市博物館。

三國兩晋南北朝（公元二二〇年至公元五八九年）

彩繪白虎畫像磚
南朝
河南鄧州市出土。
高19、寬39厘米。
白虎肩有雙翼。殘留彩繪痕迹。
現藏中國國家博物館。

彩繪青龍畫像磚
南朝
河南鄧州市出土。
高19.5、寬37.5厘米。
青龍似馬形，肩有雙翼。殘留彩繪痕迹。
現藏中國國家博物館。

彩繪鳳凰畫像磚
南朝
河南鄧州市出土。
高19、寬39厘米。
鳳凰展雙翅，旁有"鳳皇"（鳳凰）題字。殘留彩繪
痕迹。
現藏中國國家博物館。

彩繪玄武畫像磚
南朝
河南鄧州市出土。
高19、寬37.5厘米。
蛇盤繞龜身。殘留彩繪痕迹。
現藏中國國家博物館。

三國兩晉南北朝（公元二二〇年至公元五八九年）

彩繪仕女畫像磚

南朝

河南鄧州市出土。

高19、寬38厘米。

畫面左二人雲髻高聳，應爲貴婦；身後二女挽雙髻，應爲侍女。

現藏河南博物院。

彩繪牛車畫像磚

南朝

河南鄧州市出土。

高18.3、寬38厘米。

圖中爲一高篷牛車，一車夫舉鞭驅牛。

現藏中國國家博物館。

三國兩晉南北朝（公元二二〇年至公元五八九年）

彩繪橫吹畫像磚

南朝
河南鄧州市出土。
高18.3、寬38厘米。
畫面表現行進中的軍樂隊，以橫吹胡角爲主，故稱之爲
"橫吹"。
現藏中國國家博物館。

彩繪戰馬畫像磚

南朝
河南鄧州市出土。
高19、寬38厘米。
兩位馬僮赤紅色臉，淺黃色衣服。前面黑馬罩以白
甲，馬背上部喇叭狀物爲粉綠色，後馬爲紫紅色。
現藏河南博物院。

三國兩晉南北朝（公元二二〇年至公元五八九年）

彩繪鞍馬畫像磚

南朝

河南鄧州市出土。

高19、寬38厘米。

畫面中爲一匹駿馬，束髦，鞍上縛鞍袱，下垂障泥。馬前一人握繮，馬後一人執鞭。

現藏中國國家博物館。

彩繪南山四皓畫像磚

南朝

河南鄧州市出土。

高19、寬38厘米。

南山四皓或稱“商山四皓”，指秦末漢初隱于商山的角里先生、東園公、綺里季和夏黃公四耆老。磚畫中出現南山四皓，表示南北朝玄學盛行，一改漢畫像磚石中人物多爲荊軻、豫讓等義烈之士的風尚。

現藏中國國家博物館。

彩繪郭巨埋兒畫像磚

南朝

河南鄧州市出土。

高19、寬38厘米。

圖中表現孝子郭巨和妻子，在林間挖坑準備埋兒以孝敬
母親，挖出黃金一釜，得以撫養母親和兒子。

現藏河南博物院。

車馬出行畫像磚

南朝

陝西平利縣烏金鄉出土。

高17.5、寬45厘米。

畫面爲車馬出行的場面。

現藏陝西省安康歷史博物館。

載物駱駝畫像磚
唐
甘肅敦煌市佛爺廟墓
出土。
高35.3、寬34.3
厘米。
圖中一頭戴尖頂風帽
的胡商，牽着載貨物
的駱駝前行。
現藏敦煌研究院。

吹簫畫像磚
唐
甘肅酒泉市西溝墓地
出土。
高18、寬36厘米。
畫面中二樂者，一吹簫，一吹笛。
現藏甘肅省文物考古研究所。

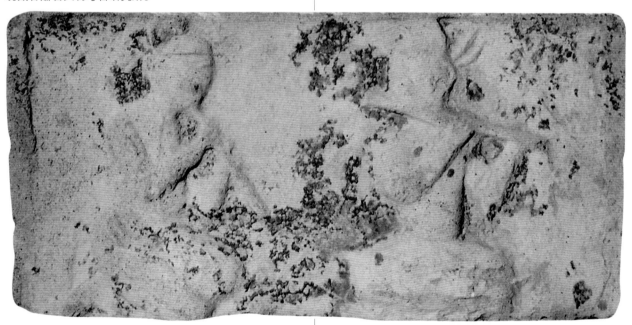

騎馬武士畫像磚

唐

甘肅酒泉市西溝墓地出土。

高18、寬36厘米。

畫面右側武士騎馬，馬後斜插旌幢，左側武士持盾相隨。

現藏甘肅省文物考古研究所。

武士畫像磚

唐

陝西長武縣地掌分代家嶺村出土。

高32、寬18厘米。

武士頭戴幞頭，身着圓領束袖長袍，腰間束帶，足穿尖
頭高靿靴，雙手執一長柄器豎立胸前。

現藏陝西省長武縣博物館。

人物畫像磚（兩幅）

唐

福建晉江市池店鎮赤塘村唐墓出土。

高39、寬18厘米。

左圖人物面相豐圓，手執一杖；右圖人物目視前方，手持團扇。

現藏福建博物院。

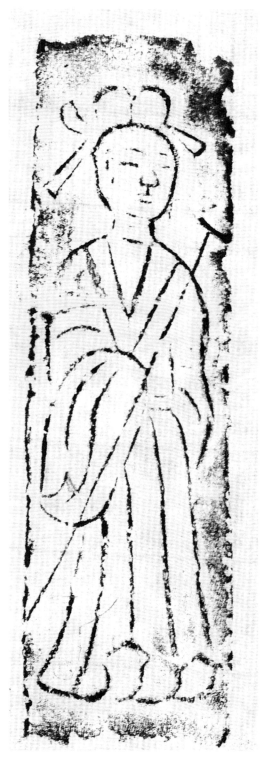

人物畫像磚之一　　　　　　　　　　　　　　　　　　　　人物畫像磚之二

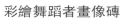
彩繪舞蹈者畫像磚

五代十國·後周

陝西彬縣底店鄉前家嘴村馮暉墓出土。

高60厘米。

舞者頭戴尖狀高冠，冠側飾圓球，冠額兩側垂飄帶。身着圓領長袖袍服，腰束帶，足蹬高靴。足下鋪圓角花毯。

現藏陝西省咸陽市文物考古研究所。

彩繪執拍板者畫像磚

五代十國・後周

陝西彬縣底店鄉前家嘴村馮暉墓出土。

高72厘米。

頭戴軟腳幞頭，身着圓領袍服。雙手執拍板，作演奏狀。

現藏陝西省咸陽市文物考古研究所。

彩繪彈箜篌者畫像磚

五代十國・後周

陝西彬縣底店鄉前家嘴村馮暉墓出土。

高73厘米。

頭戴軟腳幞頭，身着圓領袍服，腰束帶，足穿尖履。雙
手于胸前抱箜篌彈奏。

現藏陝西省咸陽市文物考古研究所。

彩繪擊鼓者畫像磚

五代十國·後周

陝西彬縣底店鄉前家嘴村馮暉墓出土。

高72厘米。

頭戴軟腳幞頭，額扎巾。身着束袖右衽袍服，腰裹寬帶。雙手作擊鼓狀。

現藏陝西省咸陽市文物考古研究所。

彩繪吹橫笛者畫像磚

五代十國·後周

陝西彬縣底店鄉前家嘴村馮暉墓出土。

高74厘米。

雙手執橫笛吹奏。

現藏陝西省咸陽市文物考古研究所。

彩繪擊方響者畫像磚

五代十國·後周

陝西彬縣底店鄉前家嘴村馮暉墓出土。

高75厘米。

頭飾抱面高髻，戴三朵花，身穿寬袖右衽長衫，內著抹胸，腰繫穎帶，下穿拽地長裙。雙手執槌敲擊方響。

現藏陝西省咸陽市文物考古研究所。

彩繪彈琵琶者畫像磚

五代十國·後周

陝西彬縣底店鄉前家嘴村馮暉墓出土。

高77厘米。

頭飾抱面高髻，戴花三朵，插紅色梳子。身穿開領廣袖紅色長衫，下著長裙。懷抱琵琶，左手按弦，右手執撥子彈奏。

現藏陝西省咸陽市文物考古研究所。

彩繪吹觱篥者畫像磚

五代十國・後周

陝西彬縣底店鄉前家嘴村馮暉墓出土。

高72厘米。

抱面高髻，髻上扎絹帶。上着開領寬袖長衫，下穿長
裙。雙手執觱篥吹奏。

現藏陝西省咸陽市文物考古研究所。

彩繪吹排簫者畫像磚

五代十國・後周

陝西彬縣底店鄉前家嘴村馮暉墓出土。

高74厘米。

雙手執十七管排簫吹奏。

現藏陝西省咸陽市文物考古研究所。

婦女畫像磚（三幅）

北宋

河南偃師市出土。

左圖高37.3、寬11.3厘米，中圖高39、寬16厘米，右圖
高34.2、寬24厘米。

三婦女分別在梳理頭髮、洗刷器皿和剖魚。

現藏中國國家博物館。

丁都賽畫像磚

北宋

高28.4、寬9.3厘米。

丁都賽是北宋末年開封著名雜劇藝人。畫面表垷丁都賽表演戲曲的情景。

現藏中國國家博物館。

將軍畫像磚

北宋

陝西鳳翔縣徵集。

高59、寬29.5厘米。

武將面相豐圓，二目圓睜，身着鎧甲，手執寶劍。

現藏陝西省鳳翔縣博物館。

臥鹿畫像磚

北宋

陝西寶雞市長嶺機械廠出土。

高29.5、寬29.5厘米。

畫面中間飾一臥鹿，鹿無角，周邊以草葉襯托。

現藏陝西省寶雞市青銅器博物館。

天馬畫像磚

北宋

陝西寶雞市長嶺機械廠出土。

高29.5、寬29.5厘米。

畫面中間飾天馬，豎耳瞪眼，尾豎直，展雙翅飛馳。

現藏陝西省寶雞市青銅器博物館。

力士畫像磚

北宋

陝西寶雞市長嶺機械廠出土。

高28.8、寬28.8厘米。

力士肥胖健壯，短髮，裸身，肩披
綏帶，手腕足頸帶環飾，穿短褲，
赤足。

現藏陝西省寶雞市青銅器博物館。

武士驅馬畫像磚

北宋

陝西寶雞市長嶺機械廠出土。

高29.5、寬29厘米。

武士緊隨馬後，左手執鞭，奮力
驅馬。

現藏陝西省寶雞市青銅器博物館。

唐至金（公元六一八年至公元一二三四年）

孝道故事畫像磚（兩幅）

北宋

甘肅隴西縣出土。

高30、寬29厘米。

畫面内容以孝道故事爲題材，一爲董永賣身孝道故事，一爲王祥卧冰孝道故事。

現藏甘肅省定西市博物館。

孝道故事畫像磚之一

孝道故事畫像磚之二

孝道故事畫像磚（兩幅）

北宋

甘肅臨洮縣出土。

高29、寬29厘米。

畫面内容以孝道故事爲題材，
一爲王祥臥冰孝道故事，一爲
孟宗哭竹孝道故事。

現藏甘肅省定西市博物館。

孝道故事畫像磚之一

孝道故事畫像磚之二

侍者畫像磚（兩幅）

北宋

甘肅臨洮縣出土。

高48、寬26厘米。

兩侍者一爲老者形象，雙手握于胸前侍立；一爲青年形象，雙手捧一盒侍立。

現藏甘肅省定西市博物館。

侍者畫像磚之一

侍者畫像磚之二

守門武士畫像磚（兩幅）

北宋

甘肅臨洮縣出土。

高47.5、寬25.5厘米。

兩武士均戴盔，穿鎧甲。一武士雙手執斧于胸前；一
武士右手握斧柄上端，斧柄下端至地。

現藏甘肅省定西市博物館。

守門武士畫像磚之一

守門武士畫像磚之二

推磨畫像磚

北宋

寧夏涇源縣北宋墓出土。

高19、寬31厘米。

圖中婦女手握磨杆，側臉注視着小孩；小孩全身裸露，昂首叉腿，用力推磨杆。

現藏寧夏博物館。

舂米畫像磚

北宋

寧夏涇源縣北宋墓出土。

高19、寬28厘米。

圖中男子頭戴帽，身穿翻領右衽長衣，着長褲；婦女高髻，着短衣長裙，身背小孩。舂米器由欄杆、踏板和石質杵臼組成。旁有籮筐和簸箕等用具。

現藏寧夏博物館。

彩繪推磨畫像磚

北宋

甘肅清水縣蘇墥村蘇
墥墓出土。

高40厘米。

圖中一磨房，內有兩
婦人推石磨，旁有籮
筐和簸箕等物。

現藏甘肅省博物館。

彩繪舂米畫像磚

北宋

甘肅清水縣蘇墥村蘇
墥墓出土。

高40厘米。

圖中刻舂米房，房內
有兩個婦人舂米。一
人蹲在石臼旁，一人
踩木杵，旁置籮筐和
簸箕。

現藏甘肅省博物館。

唐至金（公元六一八年至公元一二三四年）

彩繪法事僧樂畫像磚
北宋
甘肅清水縣蘇墣村蘇墣墓
出土。
高37厘米。
畫面爲僧人奏樂的水陸道
場，兩名俗家弟子及一位
僧人各執石磬和鐃鈸。
現藏甘肅省博物館。

擊鼓吹笙畫像磚
北宋
甘肅天水市麥積區南齊集出土。
高30、寬26厘米。
圖中兩個樂伎身着圓領窄袖束腰
長衫，全神貫注地奏樂。
現藏甘肅省博物館。

奏樂畫像磚（兩幅）

北宋

甘肅天水市麥積區南齊集
出土。

高30、寬30厘米。

上圖磬架上雙排懸挂十四
具磬。旁邊站立一人，雙
手握錘擊磬。下圖兩個樂
伎頭戴幞頭，身着圓領束
腰長袍，一人雙手握簫竪
吹，一人雙手執笛橫吹。
現藏甘肅省博物館。

奏樂畫像磚之一

奏樂畫像磚之二

奏樂畫像磚（四幅）

北宋

甘肅天水市秦州區藉口鎮王家新窖宋墓出土。

高31、寬16厘米。

圖中四女伎分別表演吹笙、擊磬、擊排板和擊鼓。

現藏甘肅省文物考古研究所。

奏樂畫像磚之一

奏樂畫像磚之二

奏樂畫像磚之三

奏樂畫像磚之四

宴樂畫像磚（兩幅）

北宋

甘肅隴西縣出土。

高28.5、寬23厘米。

畫面爲宴樂場面，分別爲五人、

四人演奏樂器。

現藏甘肅省定西市博物館。

宴樂畫像磚之一

宴樂畫像磚之二

孝道故事畫像磚（兩幅）

北宋

甘肅隴西縣出土。

高30.5、寬30厘米。

畫面內容以孝道故事爲題材，一爲
郭巨埋兒孝道故事，一爲伯瑜泣杖
孝道故事。

現藏甘肅省定西市博物館。

孝道故事畫像磚之一

孝道故事畫像磚之二

唐
至
金
（
公
元
六
一
八
年
至
公
元
一
二
三
四
年
）

開芳宴畫像磚

金

山西侯馬市董海墓出土。

高106、長136厘米。

門額枋下雕捲簾，簾下垂燈
籠、雙魚及桃枝等吉祥挂飾。
墓主人夫婦對坐，中置方桌，
桌上置食物，桌下有二酒罈。
男墓主人持盞，女墓主人袖手
而坐。二人身後各立一侍女。
現藏山西省考古研究所。

出行圖畫像磚

金

山西侯馬市董海墓出土。

高238、長246厘米。

中間二人一老一少騎馬前行，少者手持馬鞭。馬前侍者
右手持棒，馬後侍者右手持拂塵。
現藏山西省金墓博物館。

打馬球畫像磚
金
山西侯馬市董海墓出土。
高28.5、寬26厘米。
球手左手握繮，右手執球杆。
現藏山西省考古研究所。

士馬交戰畫像磚
金
山西侯馬市董海墓出土。
高29.5、長55厘米。
左將騎甲馬，手持雙鞭；右將雙手舉大刀，迎面而戰。
現藏山西省考古研究所。

孔雀牡丹畫像磚（兩幅）

金

山西侯馬市董海墓出土。

高75、寬75厘米。

前室北壁門樓兩側對稱設屏風，屏心均爲孔雀立于牡丹叢中的太湖石上。

現藏山西省考古研究所。

孔雀牡丹畫像磚之一

孔雀牡丹畫像磚之二

竹馬戲畫像磚

金
山西侯馬市金墓出土。
四童子二人一組，騎馬，着戎裝，各持兵器相鬥。
現藏山西省考古研究所。

社火舞蹈畫像磚

金
山西侯馬市金墓出土。
二童子手持盾牌相對而舞。
現藏山西省考古研究所。

畫像石 畫像磚分布圖

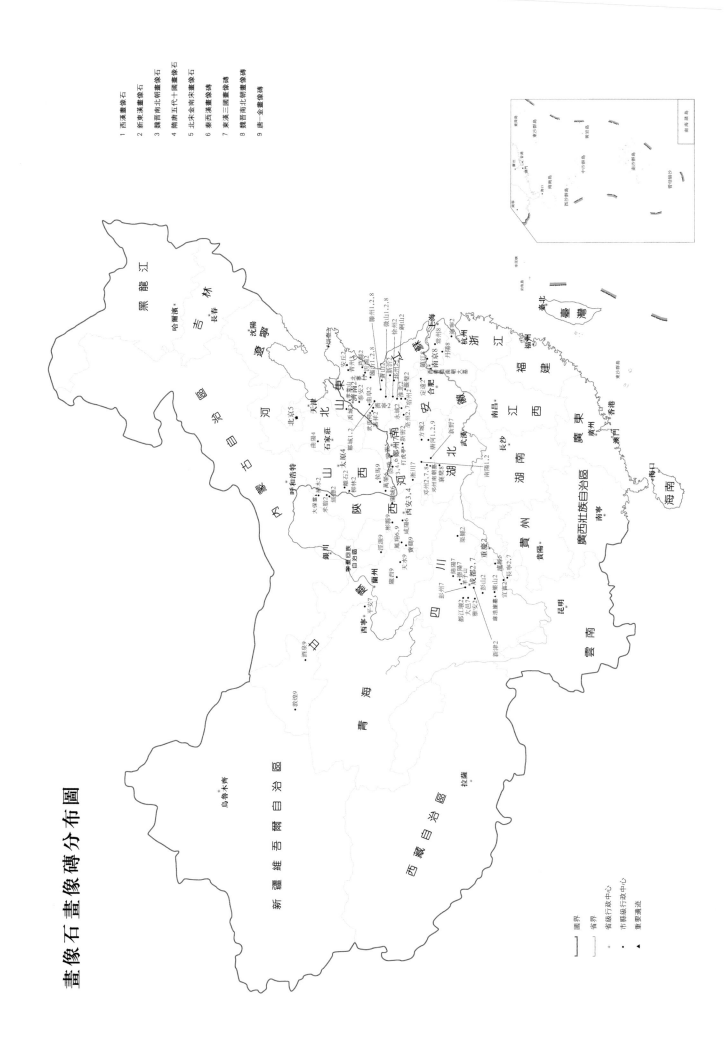

1 西漢畫像石
2 新莽東漢畫像石
3 魏晉南北朝畫像石
4 隋唐五代十國畫像石
5 北宋金南宋畫像磚
6 秦西漢畫像磚
7 東漢三國畫像磚
8 魏晉南北朝畫像磚
9 唐一金畫像磚

國界
省界
省級行政中心
市縣級行政中心
重要遺址

年　表

新石器時代（公元前8000年－公元前2000年）

夏（公元前21世紀－公元前16世紀）

商（公元前16世紀－公元前11世紀）

西周（公元前11世紀－公元前771年）

春秋（公元前770年－公元前476年）

戰國（公元前475年－公元前221年）

秦（公元前221年－公元前207年）

漢（公元前206年－公元220年）
　　西漢（公元前206年－公元8年）
　　新（公元9年－公元23年）
　　東漢（公元25年－公元220年）

三國（公元220年－公元265年）
　　魏（公元220年－公元265年）
　　蜀（公元221年－公元263年）
　　吳（公元222年－公元280年）

西晋（公元265年－公元316年）

十六國（公元304年－公元439年）

東晋（公元317年－公元420年）

北朝（公元386年－公元581年）
　　北魏（公元386年－公元534年）
　　東魏（公元534年－公元550年）
　　西魏（公元535年－公元556年）
　　北齊（公元550年－公元577年）
　　北周（公元557年－公元581年）

南朝（公元420年－公元589年）

隋（公元581年－公元618年）

唐（公元618年－公元907年）

五代十國（公元907年－公元960年）

遼（公元916年－公元1125年）

宋（公元960年－公元1279年）
　　北宋（公元960年－公元1127年）
　　南宋（公元1127年－公元1279年）

西夏（公元1038年－公元1227年）

金（公元1115年－公元1234年）

元（公元1271年－公元1368年）

明（公元1368年－公元1644年）

清（公元1644年－公元1911年）